„Immenſee!" rief der Wanderer.   (Seite 29)

Heaths Modern Language Series

Immensee

von

Theodor Storm

WITH INTRODUCTION, NOTES, VOCABULARY, AND
ENGLISH EXERCISES

BY

Dr. WILHELM BERNHARDT

D. C. HEATH & CO., PUBLISHERS

BOSTON   NEW YORK   CHICAGO

INTRODUCTION

THEODOR STORM — by his full name Hans Theodor Woldsen Storm — the popular German lyric poet and novelist, was born September 14, 1817, in Husum, a small but comparatively important seaport and manufacturing place on the coast of the North Sea, in the (then Danish) duchy of Schleswig. The poet's father, who followed the profession of lawyer in Husum, was a cold, stern, and inaccessible but scrupulously honest man, while his mother, who came from noble Frisian stock, was more like what we are wont to conceive as the proper parent for a poet; at once grave and hearty, dignified and simple, her affectionate nature and sunny disposition endeared her to all who came in contact with her. It was unquestionably from her that the son inherited his love of story-telling and his contemplative study of nature, while the father's serious views of life and life's troubles and tribulations reëcho everywhere in Storm's prose and poetry.

From his boyhood days, the unrestrained freedom of which he enjoyed in roving over the marshes and moors of his native district, dates the poet's lifelong and ardent love for his northern lowlands and their stormbeaten seashore, that love of home which was to play such a conspicuous part in the involuntary wanderings of his later life, and which has found expression in many of his poetical creations.

Up to his eighteenth year Storm attended the Latin school of his native town, and then the " gymnasium " in Lübeck, where he entered into close friendship with one of his classmates, the talented Emanuel Geibel, who was destined to become one of Germany's foremost lyric poets. By him Storm's love for poetry was awakened, and Goethe, Uhland, Eichendorff, and Heine began to exert an influence upon him, which he never outgrew. From 1837 to 1842 he studied jurisprudence, first at the University of Kiel, the capital of Schleswig-Holstein, and subsequently at Berlin. In 1843, together with the brothers Theodor and Tycho Mommsen, he published a volume of poems under the title *Liederbuch dreier Freunde*, in which he appears as a disciple of the Romantic school, more especially as a follower of Joseph von Eichendorff and the Romantic apostate Heinrich Heine. For the following ten years (1843-1853) he practised law in Husum, and established a comfortable and exceedingly happy home, having married his cousin, Constanze Esmarch. In 1851 appeared his *Sommergeschichten und Lieder*, and in 1852 the tale *Immensee*.

In the meantime the feeling of national animosity between the German and Danish elements in the duchy of Schleswig had reached a climax on the issue of certain orders from Copenhagen, which were aimed to encourage the culture of the Danish language in Schleswig to the prejudice of the German. In consequence of Storm's taking part in the open revolt of the people of Schleswig-Holstein against Denmark, his license to practise law was cancelled by the Danish Government, and he was forced to leave the country (1853), whereupon he entered the Prussian judicial service. He became *Assessor* (Associate Judge) in Potsdam (near Berlin), and in 1856 *Kreisrichter* (District Judge) in Heiligenstadt (Thuringia). During these later years he acquired that intimate acquaintance with southern manners and modes of thinking, which he turned to artistic use in some of his stories.

For eleven long years the poet lived in exile, all the time laboring under an almost insuperable longing to return to his beloved " old grey town by the sea." The feeling grew and grew, a mental homesickness, which nothing could cure but northern skies. At last, in 1864, his heart's desire was fulfilled. In the month of February of that year, when the united Prussian and Austrian armies, as the champions of the vexed Schleswig-Holstein question, occupied the two duchies, Storm hurried home, and was immediately installed as mayor of Husum, his native place. Three years later, after the German war of 1866, and the subsequent annexation of Schleswig-Holstein by Prussia, he reëntered the judicial service, and was appointed *Amtsrichter* (District Judge) in Husum, raised to the rank of *Oberamtsrichter* (Judge of the Court of Appeals) in 1874, and five years later to that of *Oberamtsgerichtsrat* (Chief Justice of the Court of Appeals). In 1880 he retired on a pension to his country seat in the woodland village of Hademarschen, in Southern Holstein, where among the most idyllic surroundings he spent the evening of life, actively engaged in literary work, in music, and in the cultivation of his flower garden, the superb roses of which were objects of interest and admiration to tourists and florists from far and near. And it was in Hademarschen, just when his roses were again in all their glory, that, on the 4th of July, 1888, "the old judge," as he was affectionately called by the villagers, peacefully and painlessly closed his earthly career, soon after he had celebrated his seventieth birthday amid the congratulations of the whole German nation, led by the governments of Prussia and Bavaria, which on that festive occasion bestowed upon the aged poet — Prussia the "Order of the Red Eagle," and Bavaria the "Maximilian Order for Art and Science." To Husum, his native town, in love for which his heart had beaten from childhood, he then returned once more, and found his last resting-place under the wide-spreading lindens of St. Jürgen's Cemetery, by the side of his wife, who had been laid to rest there twenty-eight years before.

In personal appearance Theodor Storm was a stately man, broad-shouldered, erect, and tall, a magnificent specimen of the hardy North-Frisian race from which he had sprung. His massive head was covered with an abundance of light-brown, later snow-white, hair; and his kind face, brightened by large blue eyes, made such a deep impression that once seen it could not easily be forgotten.

* *
*

Storm is the author of a large series of short stories — just fifty in number — the magic charm of which

is due to sweetness of language, tenderness of senti-
ment, and an ever-present love of nature. His language has been appropriately compared with Schu-
mann's music on account of the harmonious melody,
which from the very start characterizes the development of the whole story. Storm's stories, more
especially those of his first Husum period, produce
a peculiar effect from the way in which the author
looks upon his heroes and the scenery amid which they
move. His persons and places are not painted in
sharply-drawn outlines and in the absolute sincerity
of the photograph, alive and plastic because produced
by the action of light, but rather as if seen through a
veil, as if moving about in the soft, dim splendor of
moonlight or rising from a misty atmosphere, not
unlike illusive images in dissolving views. As in the
realm of fiction of other northern writers, pre-
eminently in those of the Dane, Hans Christian Ander-
sen, and the Norwegian, Ibsen, there is in Storm's
tales an ever-returning undertone of sadness and
melancholy, of lost hopes and disappointed lives.
Often his heroes live in the recollection of their past,
spending the rest of their days in bitter-sweet resignation. In his landscape drawing the poet rarely leaves
the limits of his native district in the far North; but
in this he shows his unexcelled talent in picturing the
blasted heath where the bees are humming, the dusky
woods, and the rolling sea, which yonder near " the
old grey town " breaks with tumultuous waves upon
the sandy shore. As for his insight into the nature of
the human heart, it is but fair to say that, with the
exception of his lifelong friend, Paul Heyse, no one

understood so well as Theodor Storm how to create within the smallest imaginable compass a stirring event or a psychologically interesting character. " But the one quality," to quote a recent critic, " that raises Storm most above the ordinary and stamps him as a writer of talent is his power of indirect suggestion; what is unspoken adds charm and interest to his words."

The romance *Immensee*, by many considered the most charming idyl that has emanated from the pen of Theodor Storm, and by which alone he will probably be known to coming generations, has always been a great favorite with the German people since its first appearance, just fifty years ago. When in 1887 Storm, and with him all Germany, celebrated his seventieth birthday, then it was the story *Immensee*, which as a compliment of the people to the popular author, was published in a large and superbly illustrated *édition de luxe*. *Immensee* is a story of reminiscence and resignation: an old man going back to his youth to live over again, in the twilight hour, the days of his young, lost love.

No doubt, in his later novelistic creations Storm to a great extent abandoned the romanticism of his earlier days for a healthy realism and a more positive characterization — *In St. Jürgen; Carsten Curator; Pole Poppenspäler* (= Paul, the Puppet-Player); *Viola tricolor,* may be quoted as examples — but for all that *Immensee,* his first tale, will always be taken as a good specimen of his talent as a poetical romancer. The author himself shared this belief, and gave it expression a few months before his death in the verses inscribed "Immensee":

„Aus diesen Blättern steigt der Duft des Veilchens,
Das dort zu Haus auf unsern Heiden stand,
Jahr aus und ein, von welchem keiner wußte,
Und das ich später nirgends wieder fand."

WILHELM BERNHARDT.

WASHINGTON D. C.
  August, 1902

NOTE: For this school edition of *Immensee* the text of the above-mentioned jubilee edition of 1887 has been followed with the orthography, however, modified in conformity with the regulations of the German Spelling Reform Edict issued by the Prussian Department of Public Instruction in 1880.

The editor desires to acknowledge his indebtedness and extend his thanks to Professor F. B. Sturm of the State University of Iowa for numerous valuable suggestions.

Immensee

Der Alte

An einem Spätherbstnachmittage ging ein alter wohl-
gekleideter Mann langsam die Straße hinab. Er schien
von einem Spaziergange nach Hause zurückzukehren, denn
seine Schnallenschuhe, die einer vorübergegangenen Mode
angehörten, waren bestäubt. Den[1] langen Rohrstock mit 5
goldenem Knopf trug er unter dem Arm; mit seinen
dunklen Augen, in welche sich die ganze verlorene Jugend
gerettet zu haben schien,[2] und welche eigentümlich von den
schneeweißen Haaren abstachen, sah er ruhig umher oder
in die Stadt hinab, welche im Abendsonnendufte vor ihm 10
lag. — Er schien fast ein Fremder, denn von den Vor-
übergehenden grüßten ihn nur wenige, obgleich mancher
unwillkürlich in diese ernsten Augen zu sehen gezwungen
wurde. Endlich stand er vor einem hohen Giebelhause still,
sah noch einmal in die Stadt hinaus und trat dann in 15
die Hausdiele. Bei dem Schall der Thürglocke wurde[3]
drinnen in der Stube von einem Guckfenster, welches nach
der Diele hinausging, der grüne Vorhang weggeschoben

und das Gesicht einer alten Frau dahinter sichtbar. Der
Mann winkte ihr mit seinem Rohrstock. „Noch[1] kein Licht!"
sagte er in einem etwas südlichen[2] Accent, und die Haus=
hälterin ließ den Vorhang wieder fallen. Der Alte ging
5 nun über die weite Hausdiele, durch einen Pesel,[3] wo große
eichene Schränke mit Porzellanvasen an den Wänden stan=
den; durch die gegenüberstehende Thür trat er in einen
kleinen Flur, von wo aus[4] eine enge Treppe zu den obern
Zimmern des Hinterhauses führte. Er stieg sie langsam
10 hinauf, schloß oben eine Thür auf und trat dann in ein
mäßig großes Zimmer. Hier war es heimlich und still;
die eine Wand war fast mit Repositorien[5] und Bücher=
schränken bedeckt, an den andern hingen Bilder von Men=
schen und Gegenden; vor einem Tisch mit grüner[6] Decke,
15 auf dem einzelne aufgeschlagene Bücher umherlagen, stand
ein schwerfälliger Lehnstuhl mit rotem Samtkissen. —
Nachdem der Alte Hut und Stock in die Ecke gestellt
hatte, setzte er sich in den Lehnstuhl und schien mit ge=
falteten Händen von seinem Spaziergange auszuruhen. —
20 Wie[7] er so saß, wurde es allmählich dunkler; endlich fiel
ein Mondstrahl durch die Fensterscheiben auf die Gemälde
an der Wand, und wie der helle Streif langsam weiter
rückte, folgten die Augen des Mannes unwillkürlich. Nun
trat er[8] über ein kleines Bild in schlichtem[9] schwarzem
25 Rahmen. „Elisabeth!" sagte der Alte leise; und wie er
das Wort gesprochen,[10] war die Zeit verwandelt: **er
war in seiner Jugend.**

„Elisabeth!" sagte der Alte leise.

(Seite 2)

Die Kinder

Bald trat die anmutige Gestalt eines kleinen Mädchens
zu ihm. Sie hieß Elisabeth und mochte[1] fünf Jahre zählen,
er selbst war doppelt so alt. Um den Hals trug sie
ein rotseidenes Tüchelchen; das ließ ihr[2] hübsch zu den
braunen Augen.

„Reinhard!" rief sie, „wir haben frei, frei! den ganzen
Tag[3] keine Schule, und morgen auch nicht."

Reinhard stellte die Rechentafel, die er schon unterm
Arm hatte, flink hinter die Hausthür, und dann liefen
beide Kinder durchs Haus in den Garten und durch die
Gartenpforte hinaus[4] auf die Wiese. Die unverhofften
Ferien kamen ihnen herrlich zu statten. Reinhard hatte
hier mit Elisabeths Hilfe ein Haus aus Rasenstücken auf=
geführt; darin wollten sie die Sommerabende wohnen;
aber es fehlte[5] noch die Bank. Nun ging er gleich an die
Arbeit; Nägel, Hammer und die nötigen Bretter waren
schon bereit. Während dessen ging Elisabeth an dem Wall
entlang und sammelte den ringförmigen Samen der wilden
Malve in ihre Schürze; davon[6] wollte sie sich[7] Ketten und
Halsbänder machen; und als Reinhard endlich trotz man=
ches krumm geschlagenen Nagels seine Bank dennoch zu=
stande gebracht hatte und nun wieder in die Sonne hinaus=
trat, ging sie schon weit davon am andern Ende der
Wiese.

„Elisabeth!" rief er, „Elisabeth!" und da kam sie, und ihre Locken flogen. „Komm," sagte er, „nun ist unser Haus fertig. Du bist ja[1] ganz heiß geworden; komm herein, wir wollen uns auf die neue Bank setzen. Ich
5 erzähl'[2] dir etwas."

Dann gingen sie beide hinein und setzten sich auf die neue Bank. Elisabeth nahm ihre Ringelchen aus der Schürze und zog sie auf lange Bindfäden; Reinhard fing an zu erzählen: „Es[3] waren einmal drei Spinn=
10 frauen[4] — —"

„Ach," sagte Elisabeth, „das weiß ich ja auswendig; du mußt auch nicht immer[5] dasselbe erzählen."

Da mußte Reinhard die Geschichte von den drei Spinn= frauen stecken lassen, und statt dessen erzählte er die Ge=
15 schichte von dem armen Mann, der in die Löwengrube[6] geworfen war. „Nun war es Nacht," sagte er, „weißt du? ganz finstere, und die Löwen schliefen. Mitunter aber gähnten sie im Schlaf und reckten die roten Zungen aus; dann schauderte der Mann und meinte, daß der
20 Morgen komme.[7] Da warf es[8] um ihn her auf einmal einen hellen Schein, und als er aufsah, stand ein Engel vor ihm. Der[9] winkte ihm mit der Hand und ging dann gerade in die Felsen hinein."

Elisabeth hatte aufmerksam zugehört. „Ein Engel?"
25 sagte sie: „Hatte er denn Flügel?"

„Es ist nur[10] so eine Geschichte," antwortete Reinhard; „es giebt ja gar keine Engel."

„O pfui, Reinhard!" sagte sie und sah ihm starr ins Gesicht. Als er sie aber finster anblickte, fragte sie ihn zweifelnd: „Warum sagen sie es denn immer? Mutter und Tante und auch in der Schule?"

„Das weiß ich nicht," antwortete er.

„Aber du,"[1] sagte Elisabeth, „giebt es denn auch[2] keine Löwen?"

„Löwen? Ob es Löwen giebt? In Indien; da spannen die Götzenpriester sie vor den Wagen und fahren mit ihnen durch die Wüste. Wenn ich groß bin, will[3] ich einmal selber hin. Da ist es viel tausendmal schöner als hier bei uns; da giebt es gar keinen Winter. Du mußt auch mit mir. Willst du?"

„Ja," sagte Elisabeth; „aber Mutter muß dann auch mit, und deine Mutter auch."

„Nein," sagte Reinhard, „die sind[4] dann zu alt, die können nicht mit."

„Ich darf aber nicht allein."

„Du sollst[5] schon dürfen; du wirst[6] dann wirklich meine Frau, und dann haben die andern dir nichts zu befehlen."

„Aber meine Mutter wird weinen."

„Wir kommen ja wieder," sagte Reinhard heftig; „sag es nur gerade heraus, willst du mit mir reisen? Sonst geh' ich allein, und dann komme ich nimmer wieder."

Der Kleinen[7] kam das Weinen nahe. „Mach nur[8] nicht so böse Augen," sagte sie; „ich will ja mit nach Indien."

Reinhard faßte sie mit ausgelassener Freude bei beiden

Händen und zog ſie hinaus auf die Wieſe. „Nach Indien,
nach Indien!" ſang er und ſchwenkte ſich mit ihr im
Kreiſe, daß ihr[1] das rote Tüchelchen vom Halſe flog.
Dann aber ließ er ſie plötzlich los und ſagte ernſt:
„Es wird doch nichts daraus werden; du haſt keine
Courage."[2]

— — „Eliſabeth! Reinhard!" rief es[3] jetzt von der
Gartenpforte. „Hier! Hier!" antworteten die Kinder
und ſprangen Hand in Hand nach Hauſe.

Im Walde

So lebten die Kinder zuſammen; ſie war ihm[4] oft
zu ſtill, er war ihr oft zu heftig, aber ſie ließen deshalb
nicht von einander; faſt alle Freiſtunden teilten ſie: winters in den beſchränkten Zimmern ihrer Mütter, ſommers
in Buſch und Feld. — Als Eliſabeth einmal in Reinhards
Gegenwart von dem Schullehrer geſcholten wurde, ſtieß
er ſeine Tafel zornig auf den Tiſch, um den Eifer des
Mannes auf ſich zu lenken. Es wurde nicht bemerkt.
Aber Reinhard verlor alle Aufmerkſamkeit an den geo-
graphiſchen[5] Vorträgen; ſtatt deſſen verfaßte er ein langes
Gedicht; darin verglich er ſich ſelbſt mit einem jungen
Adler, den Schulmeiſter mit einer grauen Krähe, Eliſabeth war die weiße Taube; der Adler gelobte an der
grauen Krähe Rache zu nehmen, ſobald ihm die Flügel
gewachſen ſein würden. Dem[6] jungen Dichter ſtanden die

Thränen in den Augen; er kam sich sehr erhaben vor.
Als er nach Hause gekommen war, wußte er sich[1] einen
kleinen Pergamentband mit vielen weißen Blättern zu
verschaffen; auf die ersten Seiten schrieb er mit sorgsamer
Hand sein erstes Gedicht. — Bald darauf kam er in eine
andere Schule; hier schloß er manche neue Kameradschaft
mit Knaben seines Alters, aber sein Verkehr mit Elisa=
beth wurde dadurch nicht gestört.   Von den Märchen,
welche er ihr sonst erzählt und wieder erzählt hatte, fing
er jetzt an, die,[2] welche ihr am besten gefallen hatten, auf=
zuschreiben; dabei wandelte ihn oft die Lust an, etwas
von seinen eigenen Gedanken hineinzudichten; aber, er
wußte nicht weshalb, er konnte immer nicht dazu gelangen.
So schrieb er sie genau auf, wie er sie selber gehört hatte.
Dann gab er die Blätter an Elisabeth, die sie[3] in einem
Schubfach ihrer Schatulle sorgfältig aufbewahrte; und es
gewährte ihm eine anmutige Befriedigung, wenn er sie[4]
mitunter abends diese Geschichtchen in seiner Gegenwart
aus den von ihm geschriebenen Heften ihrer Mutter[5] vor=
lesen hörte.

Sieben Jahre waren vorüber.   Reinhard sollte zu seiner
weitern Ausbildung die Stadt verlassen.   Elisabeth konnte
sich nicht in den Gedanken finden, daß es nun eine Zeit
ganz ohne Reinhard geben werde.[6] Es freute sie, als er ihr
eines[7] Tages sagte, er werde,[8] wie sonst, Märchen für sie
aufschreiben; er wolle sie ihr mit den Briefen an seine
Mutter schicken; sie müsse ihm dann wieder schreiben, wie

sie ihr gefallen hätten. Die Abreise rückte heran; vorher
aber kam[1] noch mancher Reim in den Pergamentband.
Das allein war für Elisabeth ein Geheimnis, obgleich
sie die Veranlassung zu dem ganzen Buche und zu den
5 meisten Liedern war, welche nach und nach fast die Hälfte
der weißen Blätter gefüllt hatten.

Es war im Juni; Reinhard sollte am andern Tage[2]
reisen. Nun wollte man noch einmal einen festlichen
Tag zusammen begehen. Dazu wurde eine Landpartie
10 nach einer der nahe gelegenen[3] Holzungen in größerer[4]
Gesellschaft veranstaltet. Der stundenlange[5] Weg bis an
den Saum des Waldes wurde zu Wagen zurückgelegt;
dann nahm man die Proviantkörbe herunter und mar=
schierte weiter. Ein Tannengehölz mußte zuerst durch=
15 wandert werden; es war kühl und dämmerig und der
Boden überall mit feinen Nadeln bestreut. Nach halb=
stündigem Wandern kam man aus dem Tannendunkel in
eine frische Buchenwaldung; hier war alles licht und grün;
mitunter brach ein Sonnenstrahl durch die blätterreichen
20 Zweige; ein Eichkätzchen sprang über ihren Köpfen von
Ast zu Ast. — Auf einem Platze, über welchem uralte
Buchen mit ihren Kronen zu einem durchsichtigen Laub=
gewölbe zusammenwuchsen, machte die Gesellschaft Halt.
Elisabeths Mutter öffnete einen der Körbe; ein alter
25 Herr warf sich zum Proviantmeister auf. „Alle um mich
herum, ihr jungen Vögel!“ rief er, „und merket[6] genau,
was ich euch zu sagen habe. Zum Frühstück erhält jetzt

ein jeder von euch zwei trockene Wecken; die Butter ist zu
Hause geblieben;[1] die Zukost muß sich[2] ein jeder selber
suchen. Es[3] stehen genug Erdbeeren im Walde, das heißt,
für den,[4] der sie zu finden weiß. Wer[5] ungeschickt ist,
muß sein Brot trocken essen; so geht es überall im Leben.
Habt ihr meine Rede begriffen?"

„Ja wohl!" riefen die Jungen.

„Ja, seht," sagte der Alte, „sie ist aber noch nicht zu
Ende. Wir Alten haben uns im Leben schon genug um-
hergetrieben; darum bleiben wir jetzt zu Haus, das heißt,
hier unter diesen breiten Bäumen, und schälen die Kartof-
feln und machen Feuer und rüsten die Tafel, und wenn
die Uhr zwölf[6] ist, so sollen auch die Eier gekocht werden.
Dafür[7] seid ihr uns von euren Erdbeeren die Hälfte schuldig, damit wir auch einen Nachtisch servieren können. Und
nun geht nach Ost und West und seid ehrlich."

Die Jungen machten allerlei schelmische Gesichter.
„Halt!" rief der alte Herr noch einmal. „Das[8] brauche
ich euch wohl[9] nicht zu sagen, wer keine[10] findet, braucht
auch keine abzuliefern; aber das schreibt euch wohl[11] hinter
eure feinen Ohren, von uns Alten bekommt er auch nichts.
Und nun habt ihr für diesen Tag gute Lehren genug;
wenn ihr nun noch Erdbeeren dazu habt, so[12] werdet ihr
für heute schon durchs Leben kommen."

Die Jungen waren derselben Meinung und begannen
sich paarweise auf die Fahrt zu machen.

„Komm, Elisabeth," sagte Reinhardt, „ich weiß

einen Erdbeerenschlag; du sollst kein trockenes Brot
essen."

 Elisabeth knüpfte die grünen Bänder ihres Strohhuts
zusammen und hing ihn über den Arm. „So¹ komm,"
5 sagte sie, „der Korb ist fertig."

 Dann gingen sie in den Wald hinein, tiefer und tiefer;
durch feuchte Baumschatten, wo alles still war, nur un=
sichtbar über ihnen in den Lüften das Geschrei der Falken;
dann wieder durch dichtes Gestrüpp, so dicht, daß Rein=
10 hard vorangehen mußte, um einen Pfad zu machen, hier
einen Zweig zu knicken, dort eine Ranke beiseite zu biegen.
Bald aber hörte er hinter sich Elisabeth seinen Namen
rufen. Er wandte sich um. „Reinhard!" rief sie, „warte
doch,² Reinhard!" — Er konnte sie nicht gewahr werden;
15 endlich sah er sie in einiger Entfernung mit den Sträuchern
kämpfen; ihr feines Köpfchen schwamm nur kaum über
den Spitzen der Farnkräuter. Nun ging er noch einmal
zurück und führte sie durch das Wirrnis der Kräuter und
Stauden auf einen freien Platz hinaus, wo blaue Falter
20 zwischen den einsamen Waldblumen flatterten. Reinhard
strich ihr die feuchten Haare aus³ dem erhitzten Gesichtchen;
dann wollte er ihr⁴ den Strohhut aufsetzen, und sie wollte
es nicht leiden; aber dann bat er sie, und nun ließ sie es
doch⁵ geschehen.

25 „Wo bleiben denn aber deine Erdbeeren?" fragte sie
endlich, indem sie stehen blieb und einen tiefen Atemzug
that.

„Hier haben sie gestanden," sagte er, „aber die Kröten sind uns zuvorgekommen oder die Marder oder vielleicht die Elfen."

„Ja," sagte Elisabeth, „die Blätter stehen noch da; aber sprich hier nicht von Elfen. Komm nur, ich bin noch gar 5 nicht müde; wir wollen[1] weiter suchen."

Vor ihnen war ein kleiner Bach, jenseits wieder der Wald. Reinhard hob Elisabeth auf seine Arme und trug sie hinüber. Nach einer Weile traten sie aus dem schattigen Laube wieder in eine weite Lichtung hinaus. „Hier 10 müssen Erdbeeren sein," sagte das Mädchen, „es duftet so süß."

Sie gingen suchend durch den sonnigen Raum; aber sie fanden keine. „Nein," sagte Reinhard, „es ist nur der Duft des Heidekrautes." 15

Himbeerbüsche und Hülsendorn standen überall durcheinander, ein starker Geruch von Heidekräutern, welche abwechselnd mit kurzem Grase die freien Stellen des Bodens bedeckten, erfüllte die Luft. „Hier ist es einsam," sagte Elisabeth; „wo mögen[2] die andern sein?" 20

An[3] den Rückweg hatte Reinhard nicht gedacht. „Warte nur:[4] woher kommt der Wind?" sagte er und hob seine Hand in die Höhe. Aber es kam[5] kein Wind.

„Still," sagte Elisabeth, „mich dünkt, ich hörte sie sprechen. Rufe einmal[6] dahinunter." 25

Reinhard rief durch die hohle Hand: „Kommt hierher!" — „Hierher!" rief es[7] zurück.

„Sie antworteten!" sagte Elisabeth und klatschte in
die Hände.

„Nein, es war nichts, es war nur der Widerhall."

Elisabeth faßte Reinhards Hand. „Mir[2] graut!"
5 sagte sie.

„Nein," sagte Reinhard, „das muß es nicht. Hier ist
es prächtig. Setz dich dort in den Schatten zwischen
die Kräuter. Laß uns eine Weile ausruhen; wir finden
die andern schon."

10 Elisabeth setzte sich unter eine überhängende Buche und
lauschte aufmerksam nach allen Seiten; Reinhard saß
einige Schritte davon auf einem Baumstumpf und sah
schweigend nach ihr hinüber. Die Sonne stand gerade
über ihnen; es war glühende Mittagshitze; kleine gold=
15 glänzende, stahlblaue Fliegen standen flügelschwingend in
der Luft; rings um sie her ein feines Schwirren und
Summen, und manchmal hörte man tief im Walde das
Hämmern der Spechte und das Kreischen der andern
Waldvögel.

20 „Horch," sagte Elisabeth, „es läutet."

„Wo?" fragte Reinhard.

„Hinter uns. Hörst du? Es ist Mittag."

„Dann liegt hinter uns die Stadt, und wenn wir in
dieser Richtung gerade durchgehen, so müssen wir die
25 andern treffen."

So traten sie ihren Rückweg an; das Erdbeerensuchen
hatten sie aufgegeben, denn Elisabeth war müde geworden.

Endlich klang zwischen den Bäumen hindurch das Lachen
der Gesellschaft; dann sahen sie auch ein weißes Tuch am
Boden schimmern, das war die Tafel, und darauf standen
Erdbeeren in Hülle[1] und Fülle.   Der alte Herr hatte eine
Serviette[2] im Knopfloch und hielt den Jungen die Fort= 5
setzung seiner moralischen Reden, während er eifrig an
einem Braten herumtranchierte.[3]

„Da sind die Nachzügler," riefen die Jungen, als sie
Reinhard und Elisabeth durch die Bäume kommen sahen.

„Hierher!" rief der alte Herr, „Tücher ausgeleert,[4] Hüte 10
umgekehrt!   Nun zeigt her, was ihr gefunden habt."

„Hunger und Durst!" sagte Reinhard.

„Wenn das alles ist," erwiderte der Alte und hob ihnen
die volle Schüssel entgegen, „so müßt ihr es auch behalten.
Ihr kennt die Abrede; hier werden keine Müßiggänger 15
gefüttert."

Endlich ließ[5] er sich aber doch erbitten, und nun
wurde Tafel[6] gehalten; dazu schlug die Drossel aus den
Wacholderbüschen.

So ging der Tag hin. — Reinhard hatte aber doch etwas 20
gefunden; waren[7] es keine Erdbeeren, so[8] war es doch auch
im Walde gewachsen.   Als er nach Hause gekommen war,
schrieb er in seinen alten Pergamentband:

Hier an der Bergeshalde
Verstummet ganz der Wind;   25
Die Zweige hängen nieder,
Darunter sitzt das Kind.

Sie ſitzt in Thymiane,
Sie ſitzt in lauter Duft;
Die blauen Fliegen ſummen
Und blitzen durch die Luft.

5   Es ſteht der Wald ſo ſchweigend,
Sie ſchaut ſo klug darein;
Um ihre braunen Locken
Hinfließt[1] der Sonnenſchein.

Der Kuckuck lacht von ferne,
10   Es[2] geht mir durch den Sinn:
Sie hat die goldnen Augen
Der Waldeskönigin.

So war ſie nicht allein ſein Schützling, ſie war ihm
auch der Ausdruck für alles Liebliche und Wunderbare
15 ſeines aufgehenden Lebens.

Da ſtand das Kind am Wege

Weihnachtsabend kam heran. — Es war noch nach=
mittags, als Reinhard mit andern Studenten im
Ratskeller[3] am alten Eichentiſch zuſammenſaß. Die
Lampen an den Wänden waren angezündet, denn hier
20 unten dämmerte es ſchon; aber die Gäſte waren
ſparſam verſammelt, die Kellner lehnten müßig an den
Mauerpfeilern. In einem Winkel des Gewölbes ſaßen
ein Geigenſpieler und ein Zithermädchen mit feinen
zigeunerhaften Zügen; ſie hatten ihre Inſtrumente auf

dem Schoß liegen[1] und schienen teilnahmlos vor sich hinzu=
sehen.

Am Studententische knallte ein Champagnerpfropfen.[2]
„Trinke, mein böhmisch[3] Liebchen!" rief ein junger Mann
von junkerhaftem[4] Äußern, indem er ein volles Glas zu   5
dem Mädchen hinüberreichte.

„Ich mag nicht," sagte sie, ohne ihre Stellung zu[5] ver=
ändern.

„So singe!" rief der Junker und warf ihr eine Silber=
münze in den Schoß.   Das Mädchen strich sich langsam   10
mit den Fingern durch ihr schwarzes Haar, während der
Geigenspieler ihr ins Ohr flüsterte; aber sie warf den Kopf
zurück und stützte das Kinn auf ihre Zither.   „Für den[6]
spiel' ich nicht," sagte sie.

Reinhard sprang mit dem Glase in der Hand auf und   15
stellte sich vor sie.   „Was willst du?"[7] fragte sie trotzig.

„Deine Augen sehen."

„Was[8] geh'n dich meine Augen an?"

Reinhard sah funkelnd auf sie nieder.   „Ich weiß wohl,
sie sind falsch!" — Sie legte ihre Wange in die flache Hand   20
und sah ihn lauernd an.   Reinhard hob sein Glas an den
Mund.   „Auf[9] deine schönen sündhaften Augen!" sagte er
und trank.

Sie lachte und warf den Kopf herum.   „Gieb!"[10] sagte
sie, und indem sie ihre schwarzen Augen in die seinen[11]   25
heftete, trank sie langsam den Rest.   Dann griff sie einen
Dreiklang und sang mit tiefer leidenschaftlicher Stimme:

Heute, nur heute
Bin ich so schön:
Morgen, ach morgen
Muß alles vergeh'n!
5   Nur diese Stunde
Bist du noch mein;
Sterben, ach sterben
Soll ich allein!

Begin

End

Während der Geigenspieler in raschem Tempo das Nach-
10 spiel einsetzte, gesellte sich ein neuer Ankömmling zu der
Gruppe.

„Ich wollte dich abholen, Reinhard," sagte er. „Du warst
schon fort;[1] aber das Christkind[2] war bei dir eingekehrt."

„Das Christkind?" sagte Reinhard, „das kommt nicht
15 mehr zu mir."

„Ei was! Dein ganzes Zimmer roch nach Tannenbaum
und braunen[3] Kuchen."

Reinhard setzte das Glas aus seiner Hand und griff
nach seiner Mütze.

20   „Was willst[4] du?" fragte das Mädchen.

„Ich komme schon wieder."

Sie runzelte die Stirn. „Bleib!" rief sie leise und sah
ihn vertraulich an.

Reinhard zögerte. „Ich kann nicht," sagte er.

25   Sie stieß ihn lachend mit der Fußspitze. „Geh!" sagte
sie, „du taugst nichts; ihr taugt alle mit einander nichts."
Und während sie sich abwandte, stieg Reinhard langsam
die Kellertreppe hinauf.

Draußen auf der Straße war es tiefe Dämmerung;
er fühlte die frische Winterluft an seiner heißen Stirn.
Hie und da fiel der helle Schein eines brennenden Tan-
nenbaums aus den Fenstern, dann und wann hörte man
von drinnen das Geräusch von kleinen Pfeifen und   5
Blechtrompeten und dazwischen jubelnde Kinderstimmen.
Scharen von Bettelkindern gingen von Haus zu Haus
oder stiegen auf die Treppengeländer und suchten durch
die Fenster einen Blick in die versagte Herrlichkeit zu
gewinnen.   Mitunter wurde auch eine Thür plötzlich auf=   10
gerissen, und scheltende Stimmen trieben einen ganzen
Schwarm solcher kleinen Gäste aus dem hellen Hause auf
die dunkle Gasse hinaus; anderswo wurde auf dem Haus=
flur ein altes Weihnachtslied gesungen; es[1] waren klare
Mädchenstimmen darunter.   Reinhard hörte sie nicht, er   15
ging rasch an allem vorüber, aus einer Straße in die
andere.   Als er an seine Wohnung gekommen,[2] war es
fast völlig dunkel geworden; er stolperte die Treppe hinauf und trat in seine Stube.   Ein süßer Duft schlug
ihm entgegen; das heimelte ihn an, das roch wie zu Haus   20
der Mutter Weihnachtsstube.   Mit zitternder Hand zündete er sein Licht an; da lag ein mächtiges Paket auf
dem Tisch, und als er es öffnete, fielen die wohlbekannten
braunen Festkuchen heraus; auf einigen waren die An=
fangsbuchstaben[3] seines Namens in Zucker ausgestreut;   25
das konnte niemand anders als Elisabeth gethan haben.
Dann kam ein Päckchen mit feiner gestickter Wäsche zum

Vorschein, Tücher und Manschetten,[1] zuletzt Briefe von
der Mutter und Elisabeth. Reinhard öffnete zuerst den
letzteren; Elisabeth schrieb:

„Die schönen Zuckerbuchstaben können Dir[2] wohl er-
5 zählen, wer bei den Kuchen mitgeholfen hat; dieselbe
Person hat die Manschetten für Dich gestickt. Bei uns
wird es nun am Weihnachtsabend sehr still werden; meine
Mutter stellt immer schon um halb[3] zehn ihr Spinnrad
in die Ecke; es ist gar so einsam diesen Winter,[4] wo
10 Du nicht hier bist. Nun ist auch vorigen Sonntag der
Hänfling[5] gestorben, den Du mir geschenkt hattest; ich
habe sehr geweint, aber ich hab' ihn doch immer gut ge-
wartet. Der sang sonst immer nachmittags, wenn die
Sonne auf sein Bauer schien; Du weißt, die Mutter
15 hing so oft ein Tuch über, um ihn zu geschweigen, wenn
er so recht aus Kräften sang. Da ist es nun noch stiller
in der Kammer, nur daß Dein alter Freund Erich uns
jetzt mitunter besucht. Du sagtest uns einmal, er sähe[6]
seinem braunen Überrock ähnlich. Daran[7] muß ich nun
20 immer denken, wenn er zur Thür hereinkommt, und es[8]
ist gar zu komisch; sag es aber nicht zur[9] Mutter, sie
wird dann leicht verdrießlich. — Rat, was ich Deiner
Mutter zu Weihnachten schenke! Du rätst es nicht? Mich
selber! Der[10] Erich zeichnet mich in schwarzer Kreide; ich
25 habe ihm dreimal sitzen müssen,[11] jedesmal eine ganze
Stunde. Es war mir recht zuwider, daß der fremde
Mensch mein Gesicht so auswendig lernte. Ich wollte
auch nicht, aber die Mutter redete mir zu; sie sagte, es
würde[12] der guten Frau Werner eine gar große Freude
30 machen.

„Aber Du hältst nicht Wort, Reinhard. Du hast keine Märchen geschickt. Ich habe Dich oft bei Deiner Mutter verklagt; sie sagt dann immer, Du habest[1] jetzt mehr zu thun, als solche Kindereien. Ich glaub' es aber nicht; es ist wohl anders." 5

Nun las Reinhard auch den Brief seiner Mutter, und als er beide Briefe gelesen und langsam wieder zusammen= gefaltet und weggelegt hatte, überfiel ihn ein unerbittliches Heimweh. Er ging eine Zeit lang[2] in seinem Zimmer auf und nieder: er sprach leise und dann halbverständlich 10 zu sich selbst:

> Er wäre fast verirret
> Und wußte nicht hinaus;[3]
> Da stand das Kind am Wege
> Und winkte ihm nach Haus.   15

Dann trat er an sein Pult, nahm einiges Geld heraus und ging wieder auf die Straße hinab. — Hier war es mittlerweile stiller geworden; die Weihnachtsbäume waren ausgebrannt, die Umzüge der Kinder hatten aufgehört. Der Wind fegte durch die einsamen Straßen; Alte 20 und Junge saßen in ihren Häusern familienweise zu= sammen; der zweite Abschnitt des Weihnachtsabends hatte begonnen. —

Als Reinhard in die Nähe des Ratskellers kam, hörte er aus der Tiefe herauf Geigenstrich und den Gesang des 25 Zithermädchens; nun klingelte unten die Kellerthür, und eine dunkle Gestalt schwankte die breite, matt erleuchtete

Treppe herauf. Reinhard trat in den Häuserschatten und ging dann rasch vorüber. Nach einer Weile erreichte er den erleuchteten Laden eines Juweliers, und nachdem er hier ein kleines Kreuz mit roten Korallen eingehandelt
5 hatte, ging er auf demselben Wege, den er gekommen war, wieder zurück.

Nicht weit von seiner Wohnung bemerkte er ein kleines, in klägliche Lumpen gehülltes Mädchen an einer hohen Hausthür stehen, in vergeblicher Bemühung, sie zu öffnen.
10 „Soll ich dir helfen?" sagte er. Das Kind erwiderte nichts, ließ aber die schwere Thürklinke fahren. Reinhard hatte schon die Thür geöffnet. „Nein," sagte er, „sie könnten[1] dich hinausjagen; komm mit mir! ich will dir Weihnachtskuchen geben." Dann machte er die Thür
15 wieder zu und faßte das kleine Mädchen an der Hand, das stillschweigend mit ihm in seine Wohnung ging.

Er hatte das Licht beim Weggehen brennen lassen. „Hier hast[2] du Kuchen," sagte er und gab ihr die Hälfte seines ganzen Schatzes in ihre Schürze, nur keine mit den
20 Zuckerbuchstaben. „Nun geh nach Haus und gieb deiner Mutter auch davon." Das Kind sah mit einem scheuen Blick zu ihm hinauf; es schien solcher[3] Freundlichkeit ungewohnt und nichts darauf erwidern zu können. Reinhard machte die Thür auf und leuchtete ihr, und nun flog
25 die Kleine wie ein Vogel mit ihrem Kuchen die Treppe hinab und zum Hause hinaus.

Reinhard schürte das Feuer in seinem Ofen an und

stellte das bestaubte[1] Tintenfaß auf seinen Tisch; dann
setzte er sich hin und schrieb und schrieb die ganze Nacht
Briefe an seine Mutter, an Elisabeth. Der Rest der
Weihnachtskuchen lag unberührt neben ihm; aber die
Manschetten von Elisabeth hatte er angeknöpft, was sich
gar wunderlich zu seinem weißen Flausrock ausnahm. So
saß er noch, als die Wintersonne auf die gefrorenen Fensterscheiben fiel und ihm gegenüber im Spiegel ein blasses,
ernstes Antlitz zeigte.

Daheim

Als es Ostern geworden[2] war, reiste Reinhard in die
Heimat. Am Morgen nach seiner Ankunft ging er zu
Elisabeth. „Wie groß du geworden bist," sagte er, als
das schöne, schmächtige Mädchen ihm lächelnd entgegen-
kam. Sie errötete, aber sie erwiderte nichts; ihre Hand,
die er beim Willkommen in die seine genommen, suchte sie
ihm[3] sanft zu entziehen. Er sah sie zweifelnd an, das
hatte sie früher nicht gethan; nun war es, als trete[4]
etwas Fremdes zwischen sie. — Das blieb auch, als er
schon länger dagewesen,[5] und als er Tag für Tag immer
wiedergekommen war. Wenn sie allein zusammensaßen,
entstanden Pausen, die ihm peinlich waren, und denen er
dann ängstlich zuvorzukommen suchte. Um während der
Ferienzeit eine bestimmte Unterhaltung zu haben, fing er
an, Elisabeth in der Botanik zu unterrichten, womit er

sich in den ersten Monaten seines Universitätslebens an=
gelegentlich beschäftigt hatte. Elisabeth, die ihm in allem
zu folgen gewohnt und überdies lehrhaft war, ging be=
reitwillig darauf ein. Nun wurden mehrere Male in der
5 Woche Exkursionen ins Feld oder in die Heide gemacht,
und hatten[1] sie dann mittags die grüne Botanisierkapsel
voll Kraut und Blumen nach Hause gebracht, so kam
Reinhard einige Stunden später wieder, um mit Elisabeth
den gemeinschaftlichen Fund zu teilen.

10   In solcher Absicht trat er eines Nachmittags ins Zim=
mer, als Elisabeth am Fenster stand und ein vergoldetes
Vogelbauer, das er sonst dort nicht gesehen, mit frischem
Hühnerschwarm[2] besteckte. Im Bauer saß ein Kanarien=
vogel, der mit den Flügeln schlug und kreischend nach
15 Elisabeths Finger pickte. Sonst hatte Reinhards Vogel
an dieser Stelle gehangen. „Hat mein armer Hänfling
sich nach seinem Tode in einen Goldfinken[3] verwandelt?"
fragte er heiter.

   „Das pflegen die Hänflinge nicht,"[4] sagte die Mutter,
20 welche spinnend im Lehnstuhl saß. „Ihr Freund Erich
hat ihn heut' Mittag für Elisabeth von seinem Hofe her=
eingeschickt."

   „Von welchem Hofe?"

   „Das wissen Sie nicht?"

25   „Was denn?"

   „Daß Erich seit einem Monat den zweiten Hof seines
Vaters am Immensee angetreten hat?"

„Aber Sie haben mir kein Wort davon gesagt."

„Ei," sagte die Mutter, „Sie haben sich auch[1] noch mit keinem Worte nach Ihrem Freunde erkundigt. Er ist ein gar lieber, verständiger junger Mann."

Die Mutter ging hinaus, um den Kaffee[2] zu besorgen; 5 Elisabeth hatte Reinhard den Rücken zugewandt und war noch mit dem Bau ihrer kleinen Laube beschäftigt. „Bitte, nur ein kleines Weilchen," sagte sie; „gleich bin[3] ich fertig." — Da Reinhard wider seine Gewohnheit nicht antwortete, so wandte sie sich um. In seinen Augen lag ein 10 plötzlicher Ausdruck von Kummer, den sie nie darin gewahrt hatte. „Was fehlt dir, Reinhard?" fragte sie, indem sie nahe zu ihm trat.

„Mir?" sagte er gedankenlos und ließ seine Augen träumerisch in den ihren ruhen. 15

„Du siehst so traurig aus."

„Elisabeth," sagte er, „ich kann den gelben Vogel nicht leiden."

Sie sah ihn staunend an, sie verstand ihn nicht. „Du bist so sonderbar," sagte sie. 20

Er nahm ihre beiden Hände, die sie ruhig in den seinen ließ. Bald trat die Mutter wieder herein.

Nach dem Kaffee setzte diese sich an ihr Spinnrad; Reinhard und Elisabeth gingen ins Nebenzimmer, um ihre Pflanzen zu ordnen. Nun wurden Staubfäden[4] gezählt, 25 Blätter und Blüten sorgfältig ausgebreitet und von jeder Art zwei Exemplare zum Trocknen zwischen die Blätter

eines großen Folianten gelegt. Es war sonnige Nach=
mittagsstille; nur nebenan schnurrte der Mutter Spinn=
rad, und von Zeit zu Zeit wurde Reinhards gedämpfte
Stimme gehört, wenn er die Ordnungen der Klassen der
5 Pflanzen nannte oder Elisabeths ungeschickte Aussprache
der lateinischen Namen korrigierte.

„Mir fehlt noch von neulich die Maiblume," sagte sie
jetzt, als der ganze Fund bestimmt und geordnet war.

Reinhard zog einen kleinen weißen Pergamentband aus
10 der Tasche. „Hier ist ein Maiblumenstengel für dich,"
sagte er, indem er die halbgetrocknete Pflanze herausnahm.

Als Elisabeth die beschriebenen Blätter sah, fragte sie:
„Hast du wieder Märchen gedichtet?"

„Es[1] sind keine Märchen," antwortete er und reichte
15 ihr das Buch.

Es waren lauter Verse, die meisten füllten höchstens
eine Seite. Elisabeth wandte ein Blatt nach dem andern
um; sie schien nur die Überschriften zu lesen. „Als sie
vom Schulmeister gescholten war." „Als sie sich im Walde
20 verirrt hatten." „Mit dem Ostermärchen." „Als sie
mir zum erstenmal geschrieben hatte;" in der[2] Weise lau=
teten fast alle. Reinhard blickte forschend zu ihr hin,
und indem sie immer weiter blätterte, sah er, wie zuletzt
auf ihrem klaren Antlitz ein zartes Rot hervorbrach und
25 es allmählich ganz überzog. Er wollte ihre Augen sehen,
aber Elisabeth sah nicht auf und legte das Buch am Ende
schweigend vor ihn hin.

„Elisabeth, du wirst mich nun in zwei Jahren
gar nicht sehen . . ." (Seite 25)

„Gieb mir es nicht so zurück!" sagte er.

Sie nahm ein braunes Reis aus der Blechkapsel. „Ich will dein Lieblingskraut hineinlegen," sagte sie und gab ihm das Buch in seine Hände. ——

Endlich kam der letzte Tag der Ferienzeit und der Morgen der Abreise. Auf ihre Bitte erhielt Elisabeth von der Mutter die Erlaubnis, ihren Freund an den Postwagen zu begleiten, der einige Straßen von ihrer Wohnung seine Station hatte. Als sie vor die Hausthür traten, gab Reinhard ihr den Arm; so ging er schweigend neben dem schlanken Mädchen her. Je näher sie ihrem Ziele kamen, desto mehr war[1] es ihm, er habe[2] ihr, ehe er auf so lange Abschied nehme,[3] etwas Notwendiges mitzuteilen, etwas, wovon aller Wert und alle Lieblichkeit seines künftigen Lebens abhänge, und doch konnte er sich des er= lösenden Wortes nicht bewußt werden. Das ängstigte ihn; er ging immer langsamer.

„Du kommst zu spät," sagte sie, „es hat schon zehn geschlagen auf St. Marien."[4]

Er ging aber darum nicht schneller. Endlich sagte er stammelnd: „Elisabeth, du wirst mich nun in zwei Jahren gar nicht sehen —— wirst du mich wohl noch eben so lieb haben wie jetzt, wenn ich wieder da bin?"[5]

Sie nickte und sah ihm freundlich ins Gesicht. — „Ich habe dich auch verteidigt;" sagte sie nach einer Pause.

„Mich? Gegen wen hattest du es nötig?"

„Gegen meine Mutter. Wir sprachen gestern Abend,

als du weggegangen warſt, noch lange über dich. Sie meinte, du ſeiſt nicht mehr ſo gut, wie du geweſen."[1]

Reinhard ſchwieg einen Augenblick; dann aber nahm er ihre Hand in die ſeine, und indem er ihr ernſt in ihre Kinderaugen blickte, ſagte er: „Ich bin noch eben ſo gut, wie ich geweſen bin; glaube du das nur feſt! Glaubſt du es, Eliſabeth?"

„Ja," ſagte ſie. Er ließ ihre Hand los und ging raſch mit ihr durch die letzte Straße. Je näher ihm der Ab= ſchied kam, deſto freudiger war ſein Geſicht; er ging ihr faſt zu ſchnell.

„Was haſt[2] du, Reinhard?" fragte ſie.

„Ich habe ein Geheimniß, ein ſchönes!" ſagte er und ſah ſie mit leuchtenden Augen an. „Wenn ich nach zwei Jahren wieder da bin, dann ſollſt du es erfahren."

Mittlerweile hatten ſie den Poſtwagen erreicht; es war noch eben Zeit genug. Noch einmal nahm Reinhard ihre Hand. „Leb wohl!" ſagte er, „leb wohl, Eliſabeth! Ver= giß es nicht!"

Sie ſchüttelte mit[3] dem Kopf. „Leb wohl!" ſagte ſie. Reinhard ſtieg hinein, und die Pferde zogen an. Als der Wagen um die Straßenecke rollte, ſah er noch einmal ihre liebe Geſtalt, wie ſie langſam den Weg zurückging.

Ein Brief

Fast zwei Jahre nachher saß Reinhard vor seiner Lampe zwischen Büchern und Papieren in Erwartung eines Freundes, mit welchem er gemeinschaftliche Studien[1] übte. Man kam die Treppe herauf. „Herein!" — Es war die Wirtin. „Ein Brief für Sie, Herr Werner!" Dann ent= 5 fernte sie sich wieder.

Reinhard hatte seit seinem Besuch in der Heimat nicht an Elisabeth geschrieben und von ihr keinen Brief mehr erhalten. Auch dieser war nicht von ihr; es war die Hand seiner Mutter. 10

Reinhard brach und las, und bald las er folgendes:

„In Deinem Alter, mein liebes Kind, hat noch fast jedes Jahr sein eigenes[2] Gesicht: denn die Jugend läßt sich nicht ärmer[3] machen. Hier ist auch manches anders geworden, was Dir wohl erstan weh thun wird, wenn 15 ich Dich sonst recht verstanden habe. Erich hat sich gestern endlich das Jawort von Elisabeth geholt, nachdem er in dem letzten Vierteljahr zweimal vergebens angefragt hatte. Sie hatte sich immer nicht dazu entschließen können; nun hat sie es endlich doch gethan; sie ist auch noch gar zu 20 jung. Die Hochzeit wird bald sein, und die Mutter wird dann mit ihnen fortgehen."

Immensee

Wiederum waren Jahre vorüber. — Auf einem abwärts
führenden schattigen Waldwege wanderte an einem warmen
Frühlingsnachmittage ein junger Mann mit kräftigem,
gebräuntem Antlitz. Mit seinen ernsten dunkeln Augen
5 sah er gespannt in die Ferne, als erwarte[1] er endlich eine
Veränderung des einförmigen Weges, die jedoch immer[2]
nicht eintreten wollte. Endlich kam ein Karrenfuhrwerk
langsam von unten herauf. „Hollah! guter Freund!" rief
der Wanderer dem nebengehenden Bauer zu, „geht's[3] hier
10 recht nach Immensee?"

„Immer[4] gerad' aus," antwortete der Mann, und rückte
an seinem Rundhute.

„Hat's[5] denn noch weit dahin?"

„Der Herr[6] ist dicht davor. Keine halbe Pfeif' Tobak,[7]
15 so haben's den See; das Herrenhaus liegt hart daran."

Der Bauer fuhr vorüber; der andere ging eiliger unter
den Bäumen entlang. Nach einer Viertelstunde hörte ihm[8]
zur Linken plötzlich der Schatten auf; der Weg führte an
einen Abhang, aus dem die Gipfel hundertjähriger Eichen
20 nur kaum hervorragten. Über sie hinweg öffnete sich eine
weite, sonnige Landschaft. Tief unten lag der See, ruhig,
dunkelblau, fast ringsum von grünen, sonnenbeschienenen
Wäldern umgeben, nur an einer[9] Stelle traten sie auseinander und gewährten eine tiefe Fernsicht, bis auch diese

durch blaue Berge geschlossen wurde. Quer gegenüber,
mitten in dem grünen Laub der Wälder, lag es[1] wie Schnee
darüber her; das waren blühende Obstbäume, und daraus
hervor auf dem hohen Ufer erhob sich das Herrenhaus, weiß
mit roten Ziegeln. Ein Storch flog vom Schornstein auf 5
und kreiste langsam über dem Wasser. — „Immensee!" rief
der Wanderer. Es war fast, als hätte er jetzt das Ziel
seiner Reise erreicht, denn er stand unbeweglich und sah
über die Gipfel der Bäume zu seinen Füßen hinüber ans
andere Ufer, wo das Spiegelbild des Herrenhauses leise 10
schaukelnd auf dem Wasser schwamm. Dann setzte er
plötzlich seinen Weg fort.

Es[2] ging jetzt fast steil den Berg hinab, so daß die unten
stehenden Bäume wieder Schatten gewährten, zugleich aber
die Aussicht auf den See verdeckten, der nur zuweilen 15
zwischen den Lücken der Zweige hindurchblitzte. Bald ging
es wieder sanft empor, und nun verschwand rechts und
links die Holzung; statt dessen streckten sich dichtbelaubte
Weinhügel am Wege entlang; zu beiden Seiten desselben standen blühende Obstbäume voll summender wüh= 20
lender Bienen. Ein stattlicher Mann in braunem[3] überrock kam dem Wanderer entgegen. Als er ihn fast erreicht
hatte, schwenkte er seine Mütze und rief mit heller Stimme:
„Willkommen, willkommen, Bruder Reinhard! Willkommen auf Gut Immensee!"   25

„Gott[4] grüß dich, Erich, und Dank für dein Willkommen!" rief ihm der andere entgegen.

Dann waren sie zu einander gekommen und reichten sich[1]
die Hände. „Bist[2] du es denn aber auch?" sagte Erich,
als er so nahe in das ernste Gesicht seines alten Schul-
kameraden sah.

5   „Freilich bin ich's, Erich, und du bist es auch; nur siehst
du fast noch heiterer aus, als du schon sonst immer gethan
hast."

Ein frohes Lächeln machte Erichs einfache Züge bei diesen
Worten noch um vieles heiterer. „Ja, Bruder Reinhard,"
10 sagte er, diesem noch einmal seine Hand reichend, „ich habe
aber auch seitdem das große Los gezogen; du weißt es
ja." Dann rieb er sich die Hände und rief vergnügt:
„Das wird eine überraschung! Den erwartet sie nicht,
in alle Ewigkeit nicht!"

15   „Eine überraschung?" fragte Reinhard. „Für wen
denn?"

„Für Elisabeth."

„Elisabeth! Du hast ihr nicht von meinem Besuch
gesagt?"

20   „Kein Wort, Bruder Reinhard; sie denkt nicht an dich,
die[3] Mutter auch nicht. Ich hab' dich ganz im geheimen
verschrieben, damit die Freude desto größer sei. Du weißt,
ich hatte immer so meine stillen Plänchen."

Reinhard wurde nachdenklich; der Atem schien ihm
25 schwer zu werden, je näher sie dem Hofe kamen. An der
linken Seite des Weges hörten nun auch die Weingärten
auf und machten einem weitläufigen Küchengarten Platz,

der sich bis fast an das Ufer des Sees hinabzog. Der
Storch hatte sich mittlerweile niedergelassen und spazierte
gravitätisch zwischen den Gemüsebeeten umher. „Hollah!"
rief Erich, in die Hände klatschend, „stiehlt mir[1] der hoch-
beinige Ägypter[2] schon wieder meine kurzen Erbsen- 5
stangen!"[3] Der Vogel erhob sich langsam und flog auf
das Dach eines neuen Gebäudes, das am Ende des Küchen-
gartens lag und dessen Mauern mit aufgebundenen[4]
Pfirsich-[5] und Aprikosenbäumen überzweigt waren. „Das
ist die Spritfabrik,"[6] sagte Erich; „ich habe sie erst vor zwei 10
Jahren angelegt. Die Wirtschaftsgebäude hat mein seliger
Vater neu aufsetzen lassen; das Wohnhaus ist schon von
meinem Großvater gebaut worden. So kommt man immer
ein bischen weiter."

Sie waren bei diesen Worten auf einen geräumigen Platz 15
gekommen, der an den Seiten durch die ländlichen Wirtschaftsgebäude, im Hintergrunde durch das Herrenhaus
begrenzt wurde, an dessen beide Flügel sich eine hohe
Gartenmauer anschloß; hinter dieser sah man die Züge
dunkler Taxuswände[7] und hin und wieder ließen Syringen- 20
bäume ihre blühenden Zweige in den Hofraum hinunter-
hängen. Männer mit sonnen-[8] und arbeitsheißen Gesich-
tern gingen über den Platz und grüßten die Freunde,
während Erich dem einen oder dem andern einen Auftrag
oder eine Frage über ihr Tagewerk entgegenrief. — Dann 25
hatten sie das Haus erreicht. Ein hoher, kühler Hausflur
nahm sie auf, an dessen Ende sie links in einen etwas

dunkleren Seitengang einbogen. Hier öffnete Erich eine
Thür, und sie traten in einen geräumigen Gartensaal, der
durch das Laubgedränge, welches die gegenüberliegenden
Fenster bedeckte, zu beiden Seiten mit grüner Dämmerung
5 erfüllt war; zwischen diesen aber ließen zwei hohe, weit
geöffnete Flügelthüren den vollen Glanz der Frühlingssonne hereinfallen und gewährten die Aussicht in einen
Garten mit gezirkelten Blumenbeeten und hohen steilen[1]
Laubwänden, geteilt durch einen geraden, breiten Gang,
10 durch welchen man auf den See und weiter auf die gegenüberliegenden Wälder hinaussah. Als die Freunde hinein-
traten, trug die Zugluft ihnen einen Strom von Duft
entgegen.

Auf einer Terrasse vor der Gartenthür saß eine weiße,
15 mädchenhafte Frauengestalt. Sie stand auf und ging
den Eintretenden entgegen; auf halbem Wege blieb sie wie
angewurzelt stehen und starrte den Fremden unbeweglich
an. Er streckte ihr lächelnd die Hand entgegen. „Reinhard!" rief sie, „Reinhard! Mein Gott,[2] du bist es! —
20 Wir haben uns[3] lange nicht gesehen."

„Lange nicht," sagte er und konnte nichts weiter sagen;
denn als er ihre Stimme hörte, fühlte er einen feinen
körperlichen Schmerz am Herzen, und wie[4] er zu ihr auf-
blickte, stand sie vor ihm, dieselbe leichte zärtliche Gestalt,
25 der[5] er vor Jahren in seiner Vaterstadt Lebewohl gesagt
hatte.

Erich war mit freudestrahlendem Antlitz an der Thür

zurückgeblieben. „Nun, Elisabeth?" sagte er; „gelt! den hätteſt du nicht erwartet, den in alle Ewigkeit nicht!"

Elisabeth ſah ihn mit ſchweſterlichen Augen an. „Du biſt ſo gut, Erich!" ſagte ſie.

Er nahm ihre ſchmale Hand liebkoſend in die ſeinen. „Und nun[1] wir ihn haben," ſagte er, „nun laſſen wir ihn ſo bald nicht wieder los. Er iſt ſo lange draußen geweſen; wir wollen ihn wieder heimiſch machen. Schau nur, wie fremd und vornehm ausſehend[2] er worden iſt!"

Ein ſcheuer Blick Eliſabeths ſtreifte Reinhards Antlitz. „Es iſt nur die Zeit, die[3] wir nicht beiſammen waren," ſagte er.

In dieſem Augenblick kam die Mutter, mit einem Schlüſſelkörbchen am Arm, zur Thür herein. „Herr Werner!" ſagte ſie, als ſie Reinhard erblickte; „ei, ein eben ſo lieber als unerwarteter Gaſt." — Und nun ging die Unterhaltung in Fragen und Antworten ihren ebenen Tritt. Die Frauen ſetzten ſich zu ihrer Arbeit, und während Reinhard die für ihn bereiteten Erfriſchungen genoß, hatte Erich ſeinen ſoliden Meerſchaumkopf[4] angebrannt und ſaß dampfend und diskutierend an ſeiner Seite.

Am andern[5] Tage mußte Reinhard mit ihm hinaus[6] auf die Äcker, in die Weinberge, in den Hopfengarten, in die Spritfabrik. Es war alles wohl beſtellt; die Leute, welche auf dem Felde und bei den Keſſeln arbeiteten, hatten alle ein geſundes und zufriedenes Ausſehen. Zu Mittag[7] kam

die Familie im Gartensaal zusammen, und der Tag wurde
dann, je nach der Muße der Wirte, mehr oder minder
gemeinschaftlich verlebt. Nur die Stunden vor dem
Abendessen, wie die ersten des Vormittags, blieb Reinhard
5 arbeitend auf seinem Zimmer. Er hatte seit Jahren, wo
er deren habhaft werden konnte, die im Volke lebenden
Reime und Lieder gesammelt und ging nun daran, seinen
Schatz zu ordnen und wo möglich mit neuen Aufzeichnungen
aus der Umgegend zu vermehren. — Elisabeth war zu
10 allen Zeiten sanft und freundlich; Erichs immer gleich-
bleibende Aufmerksamkeit nahm sie mit einer fast demütigen
Dankbarkeit auf, und Reinhard dachte mitunter, das heitere
Kind von ehedem habe[1] wohl eine weniger stille Frau versprochen.

15 Seit dem zweiten Tage seines Hierseins pflegte er abends
einen Spaziergang an den Ufern des Sees zu machen. Der
Weg führte hart unter dem Garten vorbei. Am Ende desselben, auf einer vorspringenden Bastei, stand eine Bank
unter hohen Birken; die Mutter hatte sie die Abendbank
20 getauft, weil der Platz gegen Abend lag und des Sonnen-
untergangs halber um diese Zeit am meisten benutzt wurde.
— Von einem Spaziergange auf diesem Wege kehrte Reinhard eines Abends zurück, als er vom Regen überrascht
wurde. Er suchte Schutz unter einer am Wasser stehenden
25 Linde, aber die schweren Tropfen schlugen bald durch die
Blätter. Durchnäßt, wie er war, ergab er sich darein
und setzte langsam seinen Rückweg fort. Es war fast

dunkel; der Regen fiel immer dichter. Als er sich der
Abendbank näherte, glaubte er zwischen den schimmernden
Birkenstämmen eine weiße Frauengestalt zu unterscheiden.
Sie stand unbeweglich und, wie er beim Näherkommen
zu erkennen meinte, zu ihm hingewandt, als wenn sie 5
jemanden erwarte.[1] Er glaubte, es sei Elisabeth. Als er
aber rascher zuschritt, um sie zu erreichen und dann mit
ihr zusammen durch den Garten ins Haus zurückzukehren,
wandte sie sich langsam ab und verschwand in den dunkeln
Seitengängen. Er konnte das nicht reimen; er war aber 10
fast zornig auf Elisabeth, und dennoch zweifelte er, ob sie
es gewesen sei; aber er scheute sich, sie darnach zu fragen;
ja,[2] er ging bei seiner Rückkehr nicht in den Gartensaal,
nur um Elisabeth nicht etwa durch die Gartenthür herein-
treten zu sehen.   15

Meine Mutter hat's gewollt

Einige Tage nachher, es ging[3] schon gegen Abend,
saß die Familie, wie gewöhnlich um diese Zeit, im
Gartensaal zusammen. Die Thüren standen offen;
die Sonne war schon hinter den Wäldern jenseits des
Sees.   20

Reinhard wurde um die Mitteilung einiger Volkslieder
gebeten, welche er am Nachmittage von einem auf dem Lande
wohnenden Freunde geschickt bekommen hatte. Er ging auf
sein Zimmer und kam gleich darauf mit einer Papierrolle

zurück, welche aus einzelnen sauber geschriebenen Blättern zu bestehen schien.

Man setzte sich an den Tisch, Elisabeth an Reinhards Seite. „Wir lesen auf gut Glück," sagte er, „ich habe sie selber noch nicht durchgesehen."

Elisabeth rollte das Manuskript auf. „Hier sind Noten," sagte sie, „das mußt du singen, Reinhard."

Und dieser las nun zuerst einige tiroler Schnaderhüpfel,[1] indem er beim Lesen zuweilen die lustige Melodie mit halber Stimme anklingen ließ. Eine allgemeine Heiterkeit bemächtigte sich der kleinen Gesellschaft. „Wer hat doch aber die schönen Lieder gemacht?" fragte Elisabeth.

„Ei," sagte Erich, „das hört man den Dingern[2] schon an, Schneidergesellen und Friseure[3] und derlei lustiges Gesindel."

Reinhard sagte: „Sie werden gar nicht gemacht; sie wachsen, sie fallen aus der Luft, sie fliegen über Land wie Mariengarn,[4] hierhin und dorthin und werden an tausend Stellen zugleich gesungen. Unser eigenstes Thun und Leiden finden wir in diesen Liedern; es ist, als ob wir alle an ihnen mitgeholfen hätten."

Er nahm ein anderes Blatt: „Ich stand auf hohen Bergen[5] . . ."

„Das kenne ich!" rief Elisabeth. „Stimme nur an, Reinhard; ich will dir helfen." Und nun sangen sie jene Melodie, die so rätselhaft ist, daß man nicht glauben kann, sie sei von Menschen erdacht worden;

„Meine Mutter hat's gewollt . . ." (Seite 38)

Elisabeth mit ihrer etwas verdeckten Altstimme dem Tenor
sekundierend.

Die Mutter saß inzwischen emsig an ihrer Näherei;
Erich hatte die Hände in einander gelegt und hörte an-
dächtig zu. Als das Lied zu Ende war, legte Reinhard
das Blatt schweigend bei Seite. — Vom Ufer des Sees
herauf kam durch die Abendstille das Geläute der Herden-
glocken; sie horchten unwillkürlich; da hörten sie eine klare
Knabenstimme singen:

> Ich stand auf hohen Bergen
> Und sah ins tiefe Thal . . .

Reinhard lächelte: „Hört ihr es wohl? So geht's von
Mund zu Mund."

„Es wird oft in dieser Gegend gesungen," sagte
Elisabeth.

„Ja," sagte Erich, „es ist der Hirtenkasper; er treibt die
Starken[1] heim."

Sie horchten noch eine Weile, bis das Geläute
hinter den Wirtschaftsgebäuden verschwunden war.
„Das sind Urtöne," sagte Reinhard; „sie schlafen
in Waldesgründen; Gott weiß, wer sie gefunden
hat."

Er zog ein neues Blatt heraus.

Es war schon dunkler geworden; ein roter Abendschein
lag wie Schaum[2] auf den Wäldern jenseits des Sees.
Reinhard rollte das Blatt auf, Elisabeth legte an der einen

Seite ihre Hand darauf und sah mit hinein. Dann las
Reinhard:

> Meine Mutter hat's gewollt,
> Den andern ich nehmen sollt':
> 5 Was ich zuvor besessen,[1]
> Mein Herz sollt' es vergessen;
> Das hat es nicht gewollt.

> Meine Mutter klag' ich an,
> Sie hat nicht wohl gethan;
> 10 Was sonst in Ehren[2] stünde,[3]
> Nun ist es worden[4] Sünde.
> Was fang' ich an![5]

> Für all' mein'[6] Stolz und Freud'
> Gewonnen hab' ich Leid.
> 15 Ach, wär'[7] das nicht geschehen,
> Ach, könnt' ich betteln gehen
> Über die braune Heid'!

Während des Lesens hatte Reinhard ein unmerkliches
Zittern des Papiers empfunden; als er zu Ende war, schob
20 Elisabeth leise ihren Stuhl zurück und ging schweigend in
den Garten hinab. Ein Blick der Mutter folgte ihr. Erich
wollte nachgehen;[8] doch die Mutter sagte: „Elisabeth hat
draußen zu thun." So unterblieb es.

Draußen aber legte sich der Abend mehr und mehr über
25 Garten und See; die Nachtschmetterlinge schossen surrend
an den offenen Thüren vorüber, durch welche der Duft der
Blumen und Gesträuche immer stärker hereindrang; vom

Wasser herauf kam das Geschrei der Frösche, unter den
Fenstern schlug eine Nachtigall, tiefer im Garten eine
andere; der Mond sah über die Bäume. Reinhard blickte
noch eine Weile auf die Stelle, wo Elisabeths feine Gestalt
zwischen den Laubgängen verschwunden war; dann rollte 5
er sein Manuskript zusammen, grüßte die Anwesenden und
ging durchs Haus an das Wasser hinab.

Die Wälder standen schweigend und warfen ihr Dunkel
weit auf den See hinaus, während die Mitte desselben in
schwüler Mondesdämmerung lag. Mitunter schauerte ein 10
leises Säuseln durch die Bäume; aber es war kein Wind,
es war nur das Atmen der Sommernacht. Reinhard ging
immer am Ufer entlang. Einen Steinwurf vom Lande
konnte er eine weiße Wasserlilie erkennen. Auf einmal
wandelte ihn die Lust an, sie in der Nähe zu sehen; er 15
warf seine Kleider ab und stieg ins Wasser. Es war flach;
scharfe Pflanzen und Steine schnitten ihn an den Füßen,
und er kam immer nicht in die zum Schwimmen nötige
Tiefe. Dann war es[1] plötzlich unter ihm weg, die Wasser
quirlten über ihm zusammen, und es dauerte eine Zeit 20
lang,[2] ehe er wieder auf die Oberfläche kam. Nun regte er
Hand und Fuß und schwamm im Kreise umher, bis er sich
bewußt geworden, von wo er hineingegangen war. Bald
sah er auch die Lilie wieder; sie lag einsam zwischen den
großen blanken Blättern. Er schwamm langsam hinaus 25
und hob mitunter die Arme aus dem Wasser, daß die
herabrieselnden Tropfen im Mondlichte blitzten; aber es

war,[1] als ob die Entfernung zwischen ihm und der Blume
dieselbe bliebe; nur das Ufer lag, wenn er sich umblickte,
in immer ungewisserem Dufte hinter ihm. Er gab indes
sein Unternehmen nicht auf, sondern schwamm rüstig in
5 derselben Richtung fort. Endlich war er der Blume so
nahe gekommen, daß er die silbernen Blätter deutlich im
Mondlicht unterscheiden konnte; zugleich aber fühlte er
sich in einem Netze verstrickt, die glatten Stengel langten
vom Grunde herauf und rankten sich an seine nackten
10 Glieder. Das unbekannte Wasser lag so schwarz um ihn
her, hinter sich hörte er das Springen eines Fisches; es
wurde[2] ihm plötzlich so unheimlich in dem fremden
Elemente, daß er mit Gewalt das Gestrick der Pflanzen
zerriß und in atemloser Hast dem Lande zuschwamm.
15 Als er von hier auf den See zurückblickte, lag die Lilie
wie zuvor fern und einsam über der dunklen Tiefe. — Er
kleidete sich an und ging langsam nach Hause zurück. Als
er aus dem Garten in den Saal trat, fand er Erich und
die Mutter in den Vorbereitungen einer kleinen Geschäfts=
20 reise, welche am andern Tage vor sich[3] gehen sollte.

„Wo sind Sie denn so spät in der Nacht gewesen?" rief
ihm die Mutter entgegen.

„Ich?" erwiderte er; „ich wollte die Wasserlilie besuchen;
es ist aber nichts daraus geworden."

25 „Das versteht wieder einmal kein Mensch!" sagte Erich.
„Was Tausend[4] hattest du denn mit der Wasserlilie zu
thun?"

„Ich habe sie[1] früher einmal gekannt," sagte Reinhard;
„es ist aber schon lange her."

Elisabeth

Am folgenden Nachmittag wanderten Reinhard und
Elisabeth jenseits des Sees bald durch die Holzung, bald
auf dem vorspringenden Uferrande. Elisabeth hatte von 5
Erich den Auftrag erhalten, während seiner und der Mutter
Abwesenheit Reinhard mit den schönsten Aussichten der
nächsten Umgegend, namentlich von der andern Uferseite
auf den Hof selber, bekannt zu machen. Nun gingen sie
von einem Punkt zum andern. Endlich wurde Elisabeth 10
müde und setzte sich in den Schatten überhängender Zweige,
Reinhard stand ihr gegenüber, an einen Baumstamm ge=
lehnt; da hörte er tiefer im Walde den Kuckuck rufen, und
es kam[2] ihm plötzlich, dies alles sei schon einmal eben so
gewesen. Er sah sie seltsam lächelnd an. „Wollen wir 15
Erdbeeren suchen?" fragte er.

„Es ist keine Erdbeerenzeit," sagte sie.

„Sie wird aber bald kommen."

Elisabeth schüttelte schweigend den Kopf; dann stand
sie auf, und beide setzten ihre Wanderung fort; und wie 20
sie so an seiner Seite ging, wandte sein Blick sich immer
wieder nach ihr hin; denn sie ging schön, als wenn sie
von ihren Kleidern getragen würde. Er blieb oft un=
willkürlich einen Schritt zurück, um sie ganz und voll ins

Auge fassen zu können. So kamen sie an einen freien, heidebewachsenen Platz mit einer[1] weit ins Land reichenden Aussicht. Reinhard bückte sich und pflückte etwas von den am Boden wachsenden Kräutern. Als er wieder aufsah, trug sein Gesicht den Ausdruck leidenschaftlichen Schmerzes.

„Kennst du diese Blume?" fragte er.

Sie sah ihn fragend an. „Es ist eine Erika. Ich habe sie oft im Walde gepflückt."

„Ich habe zu Hause ein altes Buch," sagte er; „ich pflegte sonst allerlei Lieder und Reime hineinzuschreiben; es ist aber lange nicht mehr geschehen. Zwischen den Blättern liegt auch eine Erika; aber es ist nur eine verwelkte. Weißt du, wer sie mir gegeben hat?"

Sie nickte stumm; aber sie schlug die Augen nieder und sah nur auf das Kraut, das er in der Hand hielt. So standen sie lange. Als sie die Augen gegen ihn aufschlug, sah er, daß sie voll Thränen waren.

„Elisabeth," sagte er, — „hinter jenen blauen Bergen liegt unsere Jugend. Wo ist sie geblieben?"[2]

Sie sprachen nichts mehr; sie gingen stumm neben einander zum See hinab. Die Luft war schwül, im Westen stieg schwarzes Gewölk auf. „Es wird gewittern,"[3] sagte Elisabeth, indem sie ihren Schritt beeilte; Reinhard nickte schweigend, und beide gingen rasch am Ufer entlang, bis sie ihren Kahn erreicht hatten.

Während der überfahrt ließ Elisabeth ihre Hand auf dem Rande des Kahnes ruhen. Er blickte beim Rudern

zu ihr hinüber; sie aber sah an ihm vorbei in die Ferne.
So glitt sein Blick herunter und blieb auf ihrer Hand;
und die blasse Hand verriet ihm, was ihr Antlitz[1] ihm
verschwiegen hatte. Er sah auf ihr jenen feinen Zug
geheimen Schmerzes, der sich so gern schöner Frauenhände 5
bemächtigt, die nachts auf krankem Herzen liegen.[2] — Als
Elisabeth sein Auge auf ihrer Hand ruhen fühlte, ließ sie
sie[3] langsam über Bord ins Wasser gleiten.

Auf dem Hofe angekommen trafen sie einen Scheren-
schleiferkarren vor dem Herrenhause; ein Mann mit 10
schwarzen, niederhängenden Locken trat emsig das Rad und
summte eine Zigeunermelodie zwischen den Zähnen, während ein eingeschirrter[4] Hund schnaufend daneben lag. Auf
dem Hausflur stand in Lumpen gehüllt ein Mädchen mit
verstörten schönen Zügen und streckte bettelnd die Hand 15
gegen Elisabeth aus. Reinhard griff in seine Tasche, aber
Elisabeth kam ihm zuvor und schüttete hastig den ganzen
Inhalt ihrer Börse in die offene Hand der Bettlerin. Dann
wandte sie sich eilig ab, und Reinhard hörte, wie sie
schluchzend die Treppe hinaufging.
                                                      20

Er wollte[5] sie aufhalten, aber er besann sich und blieb
an der Treppe zurück. Das Mädchen stand noch immer
auf dem Flur, unbeweglich, das empfangene Almosen[6] in
der Hand. „Was willst du noch?" fragte Reinhard.

Sie fuhr zusammen. „Ich will nichts mehr," sagte sie; 25
dann den Kopf nach ihm zurückwendend, ihn anstarrend
mit den verirrten Augen, ging sie langsam gegen die Thür.

Er rief einen Namen aus, aber sie hörte es nicht mehr; mit gesenktem Haupte, mit über der Brust gekreuzten Armen schritt sie über den Hof hinab:

Sterben, ach sterben
5   Soll ich allein!

Ein altes Lied[1] brauste ihm ins Ohr, der Atem stand ihm still; eine kurze Weile, dann wandte er sich ab und ging auf sein Zimmer.

Er setzte sich hin, um zu arbeiten, aber er hatte keine
10 Gedanken.   Nachdem er es eine Stunde lang[2] vergebens versucht hatte, ging er ins Familienzimmer hinab.   Es war niemand da, nur kühle grüne Dämmerung; auf Elisabeths Nähtisch lag ein rotes Band, das sie am Nachmittag um den Hals getragen hatte.   Er nahm es in
15 die Hand, aber es that ihm weh, und er legte es wieder hin.   Er hatte keine Ruhe, er ging an den See hinab und band den Kahn los; er ruderte hinüber und ging noch einmal alle Wege, die er kurz vorher mit Elisabeth zusammen gegangen war.   Als er wieder nach Hause
20 kam, war es dunkel; auf dem Hofe begegnete ihm der Kutscher, der die Wagenpferde ins Gras bringen wollte;[3] die Reisenden waren eben zurückgekehrt.   Bei seinem Eintritt in den Hausflur hörte er Erich im Gartensaal auf und ab schreiten.   Er ging nicht zu ihm hinein; er stand
25 einen Augenblick still und stieg dann leise die Treppe hinauf nach seinem Zimmer.   Hier setzte er sich in den Lehnstuhl

ans Fenster; er that[1] vor sich selbst, als wolle[2] er die
Nachtigall hören, die unten in den Taxuswänden schlug;[3]
aber er hörte nur den Schlag seines eigenen Herzens.
Unter ihm im Hause ging alles[4] zur Ruhe, die Nacht verrann, er fühlte es nicht. — So saß er stundenlang. Endlich
stand er auf und legte[5] sich ins offene Fenster. Der Nachttau rieselte zwischen den Blättern, die Nachtigall hatte aufgehört zu schlagen. Allmählich wurde auch das tiefe Blau
des Nachthimmels vom Osten her durch einen blaßgelben
Schimmer verdrängt; ein frischer Wind erhob sich und
streifte Reinhards heiße Stirne; die erste Lerche stieg
jauchzend in die Luft. — Reinhard kehrte sich plötzlich um
und trat an den Tisch: er tappte nach einem Bleistift,
und als er diesen gefunden, setzte er sich und schrieb damit
einige Zeilen auf einen weißen Bogen Papier. Nachdem
er hiermit fertig war, nahm er Hut und Stock, und das
Papier zurücklassend öffnete er behutsam die Thür und stieg
in den Flur hinab. — Die Morgendämmerung ruhte noch
in allen Winkeln; die große Hauskatze dehnte sich auf der
Strohmatte und sträubte den Rücken gegen seine Hand, die
er gedankenlos entgegenhielt. Draußen im Garten aber
priesterten[6] schon die Sperlinge von den Zweigen und
sagten es allen, daß die Nacht vorbei sei. Da hörte er
oben im Hause eine Thür gehen; es[7] kam die Treppe
herunter, und als er aufsah, stand Elisabeth vor ihm. Sie
legte die Hand auf seinen Arm, sie bewegte die Lippen,
aber er hörte keine Worte. „Du kommst nicht wieder,"

sagte sie endlich. „Ich weiß es, lüge[1] nicht; du kommst
nie wieder."

„Nie," sagte er. Sie ließ ihre Hand sinken und sagte
nichts mehr. Er ging über den Flur der Thüre zu;[2]
dann wandte er sich noch einmal. Sie stand bewegungs-
los an derselben Stelle und sah ihn mit toten Augen an.
Er that einen Schritt vorwärts und streckte die Arme
nach ihr aus. Dann kehrte er sich gewaltsam ab und
ging zur Thür hinaus. Draußen lag die Welt im frischen
Morgenlichte, die Tauperlen, die in den Spinnengeweben
hingen, blitzten in den ersten Sonnenstrahlen. Er sah
nicht rückwärts; er wanderte rasch hinaus; und mehr und
mehr versank hinter ihm das stille Gehöft, und vor ihm
auf[3] stieg die große weite Welt.

Der Alte

Der Mond schien nicht mehr in die Fensterscheiben; es
war dunkel geworden; der Alte aber saß noch immer mit
gefalteten Händen in seinem Lehnstuhl und blickte vor sich[4]
hin in den Raum des Zimmers. Allmählich verzog sich
vor seinen Augen die schwarze Dämmerung um ihn her
zu einem breiten dunkeln See; ein[5] schwarzes Gewässer
legte sich hinter das andere, immer tiefer und ferner, und
auf dem letzten, so fern, daß die Augen des Alten sie kaum
erreichten, schwamm einsam zwischen breiten Blättern eine
weiße Wasserlilie.

Die Stubenthür ging auf, und ein heller Lichtschimmer fiel ins Zimmer. „Es ist gut, daß Sie kommen, Brigitte," sagte der Alte. „Stellen Sie das Licht auf den Tisch!"

Dann rückte er auch den Stuhl zum Tisch, nahm eines der aufgeschlagenen Bücher und vertiefte sich in Studien, an denen er einst die Kraft seiner Jugend geübt hatte.

NOTES

Page 1. — 1. **den** (= feinen) **langen Rohrſtock,** definite article for possessive pronoun, as often.

2. **in welche ſich ... gerettet zu haben ſchien,** "into which his lost youth seemed to have taken refuge"; trans., *in which his lost youth seemed concentrated.*

3. **wurde ... weggeſchoben und das Geſicht ... ſichtbar,** *was pushed aside ... and the face ... became visible;* notice **wurde** first as auxiliary and then later (without repetition, as might have been expected) as an absolute verb, illustrating in one sentence the two uses of the word.

Page 2. — 1. **„Noch kein Licht!"** = **„Machen Sie noch kein Licht!"**

2. **in einem etwas ſüdlichen** (= ſüddeutſchen) **Accent;** this suggests the idea that the old gentleman of this story was a native of Southern Germany, where with the exception of the first and last chapters (both inscribed **„Der Alte"**) the incidents of the story take place.

3. **der Peſel,** a localism of Schleswig-Holstein, unknown in this sense in other Low German dialects; it is about equivalent to the common German term **„der Gartenſaal"** ("large room or hall opening into a garden"), trans., *hall,* taken in the old English sense.

4. **von wo aus,** "from where," *from which;* **aus** used adverbially, continues the motion expressed in **von.**

5. **Repoſito'rien;** sing. **das Repoſito'rium,** *bookshelf;* naturalized Latin neuters in =ium form their plural by changing =ium into =ien.

6. **mit grüner Decke; mit rotem Samtkiſſen,** in English with indefinite article.

7. **Wie,** colloquially for **als,** "when," "as," or **während,** "while."

49

8. **er**, referring to der Streif.

9. **in schlichtem schwarzem Rahmen**; cf. note 6 above.

10. **gesprochen**, supply hatte; in dependent sentences the auxiliaries haben and sein are frequently omitted.

Page 3. — 1. **mochte** (expressing possibility) **...zählen**, lit., "might count five years"; i. e. *may have been five years old*, or *was possibly (probably) five years old*.

2. **ließ ihr hübsch zu den braunen Augen** = ließ hübsch zu ihren braunen Augen, the dative of the personal pronoun for the possessive pronoun; trans., *was very becoming to her brown eyes*.

3. **den ganzen Tag**, accusative expressing duration of time.

4. **durch ... hinaus**, cf. page 2, note 4; hinaus may also be taken as separable prefix of the compound verb hinaus=laufen.

5. **es fehlte** (impersonal) **noch ...**, *there lacked* (was wanting) *still*.

6. **da'von** (with emphasis) = von diesem or diesen, *of (with) the latter*.

7. **sich**, dative of interest = für sich, *for herself*.

Page 4. — 1. **ja** (unaccented adverbial expletive) means that the accompanying statement "goes without saying," and is usually best rendered by *you know; why, indeed!*

2. **erzähl'** for erzähle, but translate as future. The dropping ("apocope") of final e, a characteristic variation of Southern Germany, is marked by an apostrophe.

3. **„Es waren einmal ..."**; the introductory indefinite personal pronoun es corresponds to the English idiomatic use of "there"; trans., *there were once upon a time ...*

4. **drei Spinnfrauen**, *spinning women* (and at the same time) *spinsters*: a well-known nursery tale found in the *Household Stories* of the Grimm Brothers.

5. **du mußt auch nicht immer**, trans., perhaps *mind, you must not;* auch nicht (unaccented adverbial idiom), "but," "yet."

6. **der in die Löwengrube**, i.e., the biblical narrative of "Daniel in the lions' den."

7. **komme** (present subjunctive), indirect subjunctive after verbs admitting uncertainty and doubt, such as meinen, denken, glauben, etc.

8. **warf es** (indefinite impersonal idiom) **einen hellen Schein,** best rendered by the English passive voice, *a bright light was cast.*

9. **Der** (with emphasis), cf. page 3, note 1.

10. **nur so** (expletive) **eine,** *just a . . .*

Page 5. — 1. **„Aber du"** (sage mir being implied), *but say!*

2. **denn auch keine Löwen,** *no lions either.*

3. **will ich hin** (= dahin or dorthin), infinitive **gehen** being implied. — After the modal auxiliaries **wollen, müssen** (comp. page 5, lines 13–14), **können** (comp. page 5, line 17), **dürfen** (comp. page 5, line 18), **sollen** (comp. page 5, line 19), the infinitive **gehen** or other infinitives of nearly the same meaning as **gehen,** are frequently omitted.

4. **sind,** present tense for future, as often.

5. **Du sollst schon dürfen,** *you shall then have a right to go;* **schon** (unaccented adverbial expletive) "by that time," as well as (assuringly) "certainly."

6. **du wirst,** "you (will) become," trans., *you will be,* cf. note 4 above.

7. **Der Kleinen** (dative after **nahe**) **kam das Weinen** (subject) **nahe,** "weeping came near the little one"; English = ?

8. **nur** (unaccented expletive) lends force to a preceding imperative; **mach nur nicht,** *please, do not* (make).

Page 6. — 1. **ihr vom Halse;** cf. ihr zu den braunen Augen, page 3, note 2.

2. **Courage** (French; pronounce kurā'zhĕ), *courage;* partly Germanized.

3. **es** (indefinite personal pronoun) here = "a voice"; trans., *some one.*

4. **ihm** and **ihr** (next line), *for him; for her,* are datives of influence after the adjectives **still** and **heftig.**

5. **geogra'phisch,** pronounce initial g like *g* in get.

6. **Dem jungen Dichter . . . in den Augen** (cf. page 3, note 2) = in den Augen des jungen Dichters.

Page 7. — 1. **wußte er sich** (cf. page 3, note 7) **zu verschaffen,** "knew how to," "was able to," trans., *managed to procure for himself.*

2. **die** (with emphasis) = diejenigen, *those.*

3. **ſie** (accusat. plural) referring to **die Blätter**.

4. **ſie** (accusat. singular) referring to **Eliſabeth**.

5. **ihrer Mutter,** dative after **vor-leſen**.

6. **daß es geben werde,** *that there would be;* cf. page 4, note 7.

7. **eines Tages,** genitive expressing indefinite time "when."

8. **werde; wolle** (line 26); **müſſe** (line 27) are subjunctives of indirect statement; *he would* (as he said).

Page 8. — 1. **kam** (idiomat. personification), "came" = **fand ſeinen Weg in . . .,** **wurde geſchrieben** or **hinzugefügt,** "found its way into"; trans., *was written into* or *was added to.*

2. **am andern Tage,** "on the other day," = **am nächſten Tage,** *the next* or *following day.*

3. **nahe gelegen,** *adjacent*

4. **größerer,** *rather large;* note this idiomatic use of the German comparative.

5. **ſtundenlange,** *lasting an hour; an hour's distance.* Distances are frequently expressed by the time required to travel over them; **eine Stunde** usually stands for about 2½ English miles.

6. **merket!** (archaic and solemn) for **merkt!**

Page 9. — 1. **iſt zu Hauſe geblieben** (cf. page 8, note 1), "has remained at home," trans., *has been left behind.*

2. **ſich,** cf. page 3, note 7.

3. **Es ſtehen,** cf. page 4, note 3.

4. **für den** (with emphasis = **denjenigen**), *for him,* **der** (relative), *who.*

5. **Wer;** indefinite relative includes the demonstrative antecedent = English (*he*) *who.*

6. **wenn die Uhr zwölf iſt,** unusual for **wenn es zwölf Uhr iſt.**

7. **Dafür,** emphatically at the head of the sentence = **für dieſes** (**dies** or **das**), "for (in exchange for) this"; trans., *in return.*

8. **Das,** emphatically = **dieſes** or **dies,** anticipates the contents of the following sentence and remains untranslated.

9. **wohl,** (unaccented expletive), *I think; of course; probably.*

10. **keine,** viz., **Erdbeeren.**

11. **wohl** (here accented, regular adverb) = **gut, ordentlich, gehörig,** "well"; *properly, carefully.*

12. **ſo** (correlative to **wenn**) **werdet ihr für heute ſchon** (assuringly,

cf. page 5, note 5) **durchs Leben kommen**, *you will certainly make a success of life as far as this day is concerned.*

Page 10. — 1. „**So komm**"; *Well, come then!*

2. **doch**; unaccented expletive, closely related to **nur**, cf. page 5, note 8.

3. **aus**, "out of "; here = *from.*

4. **ihr**, by synecdoche = **auf ihren Kopf.**

5. **doch**, accented adversative particle = *after all.*

Page 11. — 1. **wir wollen weiter suchen** = **laß uns weiter suchen**, *let us . . .*

2. **wo mögen** (modal idiom) **die andern sein?** *I wonder where the others are?*

3. **an** (after **denken**, "to think"), "of" or *about.*

4. **warte nur!** cf. page 5, note 8.

5. **es kam** (idiomatic, cf. page 8, note 1), trans., *there was.*

6. **rufe einmal**, *just call!* *won't you;* the unaccented expletive **einmal**, persuasive like **doch** and **nur**, strengthens the force of a preceding imperative (cf. page 5, note 8).

7. **es** (cf. page 6, note 3), here "the echo."

Page 12. — 1. **klatschte in die Hände**; in English transitive verb, therefore no preposition.

2. **mir graut** (= **es graut mir**), impersonal verb with dative = English personal "I am in dread"; *I am afraid;* therefore next line „**das** (impersonal) **muß es nicht**" = *you must not* ("be afraid" being understood).

Page 13. — 1. **in Hülle** ("hull"; cover) **und Fülle** ("filling; fulness "), lit., "from cover to filling" (so that no space is left vacant), trans., *in great abundance.* Two words generally alliterative or rhyming, are often placed side by side of each other to emphasize the meaning of one of them.

2. **die Serviet'te** (from French, but thoroughly Germanized and pronounced as in German), *table napkin.*

3. **herum'tranchierte** (compounded with French verb *trancher* = to trench; **tran** *nasalized* and **ch** = English *sh*), *carved* (about).

4. **Tücher ausgeleert!** *empty your handkerchiefs!* **Hüte um= gekehrt!** *upside down with your hats!* Idiomatically the perfect

participle is used instead of the imperative = leert die Tücher aus! kehrt die Hüte um!

5. **er ließ sich aber doch erbitten,** "he allowed himself to be pre-vailed upon after all"; rather a hard idiom with the reflexive form taking the place of the passive, *he was moved by* (yielded to) *entreaties.*

6. **wurde Tafel gehalten, dazu schlug . . .,** *they feasted* (or *ban-queted*); *for the occasion the thrush struck up* (or *furnished the music at table*) — humorous bombast.

7. **waren es . . .** (concessive inversion = obgleich es . . . waren), *although is was not.*

8. **so** (correlative to an implied concessive conjunction wenn or obgleich), omit.

Page 14. — 1. **hinfließt der Sonnenschein** (in poetry only) for fließt der Sonnenschein hin.

2. **es** (indef.) here = "the thought."

3. **der Ratskeller** for Rathauskeller, "town-house cellar"; trans., *restaurant in the basement of the town-hall;* originally serving as a waiting-room for parties who had to do business with the civic or law-court offices located in that building, the *ratskeller* gradually became a public restaurant, excellently managed by the municipal authorities and greatly patronized by the citizens, the more so as its profits were turned into the city treasury. — The word bids fair to become naturalized in this country as the name given to the lead-ing German restaurants of the larger American cities.

Page 15. — 1. **hatten liegen** (infinitive), while the English idiom requires the present participle.

2. **Champa'gner** (from French, pronounce schampan'jer) **=pfrop-fen,** *champagne cork.*

3. **böhmisch** (for böhmisches, the neuter ending es in the adjective declension being occasionally dropped), *Bohemian.* As a rule the itinerant musicians of Europe come from Bohemia, the most eastern crownland of Austria.

The capital city is Prague, which lies about one hundred miles south of Dresden. Bohemia was the scene of the outbreak of the Thirty Years' War in 1618.

4. **junkerhaft,** *cavalier (·like).* A "Junker" (from MHG. "junc-

herre" = young lord) is a *young noble* belonging to the old landed aristocracy. — In modern German politics the "Junkers" represent the aristocratic party in Prussia, which came into power under Bismarck as early as 1862. In our day they are known as the "Agrarians."

5. **ohne . . . zu verändern;** the preposition **ohne** with following **zu** and the infinitive corresponds to English *without* and the verbal form in *-ing*.

6. **den** (with emphasis = **diesen** or **jenen da**), *that fellow*.

7. **du,** and in the following lines **deine, dich,** etc., for **Ihre, Sie** . . . indirectly suggest a high degree of familiarity existing between the two.

8. **Was** . . . "what," here adverbially = *how* . . .

9. **„Auf deine . . . !"** elliptically for **Ich trinke auf deine . . .,** *'Tis to your . . . !*

10. **„Gieb!"** **mir das Glas** or **mir zu trinken** implied.

11. **seinen,** older and shorter form of the possessive pronominal adjective for the more common **seinigen.** The author seems to favor the older form, employed by him exclusively throughout the story. Comp. page 21, line 15; page 23, lines 15 and 21; page 26, line 4; page 33, line 5.

Page 16. — 1. **fort,** **gegangen** implied.

2. **das Christkind;** among the Germans the "Christ-child" bears the same relation to the festivities of Christmas as that borne elsewhere by Santa Claus, St. Nicholas, etc.

3. **brauner Kuchen,** *ginger cooky, ginger cake*, the time-honored concomitant of the German Christmas-tree.

4. **willst du,** **thun** implied.

Page 17. — 1. **es** (introductory), cf. page 4, note 3.

2. **gekommen,** supply **war,** cf. page 2, note 10.

3. **die Anfangsbuchstaben seines Namens,** *his initials, viz.,* R. W. = Reinhard Werner.

Page 18. — 1. **Manschet'ten** (cf. **Serviette,** page 13, note 2), *cuffs*.

2. **Dir;** in letter-writing **Du, Deine,** etc., usually have a capital initial.

3. **um halb zehn,** lit., "half (way to) ten," "when half of the tenth hour is gone," trans., *at half past nine.*

4. **diesen Winter; vorigen Sonntag** (next line), accusatives expressing definite time "when."

5. **der Hänfling** (from **Hanf,** hemp), *linnet* or *greenfinch,* "Fringilla cannabina" of the naturalists, a small singing bird of the finch family. It is one of the commonest German birds, cheerful and lively, and a very sweet songster, and therefore frequently found as a cage-bird.

6. **er sähe,** past subjunctive, while **sehe,** present subjunctive, would be more in accordance with standard language; cf. page 7, note 8.

7. **dar'an** = **an dieses, an dies** or **das.**

8. **es** (indefinite), cf. page 14, note 2.

9. **zur** (= **zu der**), no article in English.

10. **der Erich,** no article in English.

11. **ich habe . . . müssen** (idiomatic infinitive for perf. partic. **gemußt**), *I have had to . . .*

12. **es würde** for **werde;** cf. page 18, note 6.

Page 19. — 1. **Du habest;** cf. page 7, note 8.

2. **eine Zeit lang,** *for some time;* to an accusative expressing duration of time, the adverb **lang** may be added. — Distinguish between **eine lange** (adj.) **Zeit** and **eine Zeit lang** (adv.).

3. **hinaus'** = **den Weg hinaus,** "which way out"; *which way to turn.*

Page 20. — 1. **könnten,** may be taken as "potential" or "conditional" subjunctive expressing either possibility ("might") or unreal condition ("would," "if you went in" being implied).

2. **hast,** *get, take.*

3. **solcher Freundlichkeit,** genitive after **ungewohnt,** while the English idiom requires "to."

Page 21. — 1. **das bestaubte Tintenfaß,** *the dust-covered ink-well;* another striking example of the author's power of indirect suggestion.

2. **Als es Ostern geworden war** (". . . had become"), trans., *When Easter* (or Easter vacation) *had come.*

3. **ihm,** *from him,* privative dative, frequently after verbs compounded with ent-.

4. **als trete ...,** *as if ... were coming;* present subjunctive for träte, past subjunctive, expressing unreal condition after als.

5. **dagewesen** — auxiliary hatte or war?

Page 22. — 1. **hatten sie ... gebracht,** inverted order expressing condition or time, wenn omitted.

2. **der Hühnerschwarm** or Hühnerdarm, Mäusedarm, die Vogelmiere, *chickweed;* the "Stellaria media" of the botanists, one of the most common weeds in cultivated and waste ground everywhere, flowering throughout the year. It is much used for feeding cage-birds.

3. **der Goldfink,** "goldfinch," a name popularly given to several birds of the finch family; here = der Kanarienvogel, "canary." — To bring out the point more strikingly, translate Hänfling in the preceding line by *greenfinch,* and Goldfink by *yellow finch.*

4. **pflegen nicht,** supply zu thun.

Page 23. — 1. **Sie haben sich ... keinem Worte,** *you have not either with a single word ...*

2. **Kaffee;** at 3 o'clock in the afternoon a cup of coffee is served in German families.

3. **bin** (present tense) for werde ich ... sein (future), as often.

4. **Staubfäden gezählt,** *stamens counted,* for the classification of plants according to the Linnæan system which is based upon the number of stamens.

Page 24. — 1. **Es** (indefinite, anticipating the logical subject, sc. Märchen) **sind ...,** *these are ...,* and **Es waren** (two lines below), *they were ...*

2. **der** (demonstrative pronoun, therefore with emphasis) = dieser or solcher.

Page 25. — 1. **war es ihm,** "it was to him," trans., *it seemed to him* or *he felt.*

2. **er habe** = als ob er habe or hätte, cf. page 21, note 4. It may also be taken as an indirect subjunctive = daß er ... habe, cf. page 4, note 7.

3. **nehme** (and **abhänge**, two lines below) are indirect subjunctives.

4. **auf St.** (abbreviation for **Sanft) Mari'en** (dat.), *on St. Mary's church*. Names of females ending in ⸗e take in the genitive ⸗ns, and in the dative ⸗n.

5. **da** (= **hier) bin,** cf. page 5, note 4.

Page 26. — 1. **gewesen,** supply **seiest.**

2. **„Was hast du?"** colloquial phrase, *what's the matter?*

3. **schüttelte mit dem Kopf,** cf. **klatschte in die Hände,** page 12, note 1.

Page 27. — 1. **Studien,** cf. page 2, note 5.

2. **jedes Jahr hat sein eigenes Gesicht;** this sentence is rather obscure, the meaning being somewhat like this: "Youth is the time of general development, physically, mentally, ethically. With the steady increase of bodily vigor, new and closer sentiments, new and higher aims, ideals, and hopes, pursuits and tendencies, often changing in quick succession, are forming. Former fancies and hobbies are sacrificed, but rich as youth is, amends are made for every seeming loss." Trans. "*each year opens up its own fair prospects.*"

3. **Jugend läßt sich nicht ärmer machen,** lit., youth does not allow itself to be made poorer, or "to be beggared;" trans. *youth always makes the best of everything.* (Miss Heath.)

Page 28. — 1. **als erwarte** for **erwartete,** cf. page 21, note 4.

2. **immer nicht** (= **nimmer, niemals) eintreten wollte,** *would never come* or *always failed to appear.*

3. **geht's** (= **geht es,** *sc.* **der Weg) hier recht nach . . .?** *is this the right way to . . .?*

4. **Immer gerad' aus,** *keep right ahead* or *keep straight on.*

5. **Hat's denn . . .,** southern dialect, for **Ist es denn . . .**

6. **Der Herr ist . . .,** respectful address in the third person, for **Sie sind.**

7. **Keine halbe Pfeif' To'bak** (dial. = **Tabak**), *in less time than* (it takes to smoke) *half a pipe of tobacco.* — **so haben's** (southern dialect = **so haben Sie**), *you'll reach . . .*

8. **ihm zur Linken** = **zu seiner Linken,** cf. page 3, note 2.

9. **einer,** numeral, therefore with emphasis.

Page 29. — 1. **es** (indefinite, "something" — perhaps *a glitter*) **lag wie Schnee,** *lay there white as if of snow.*

2. **Es,** cf. page 28, note 3.

3. **in braunem Überrock,** cf. page 2, note 6.

4. **„Gott grüß dich!"** or **Gott zum Gruß!** or **Grüß Gott!** lit., "God bless you!" a form of salutation in vogue all over the South, for "Good morning!" "Good day"!

Page 30. — 1. **sich,** reciprocal pronoun, *each other.*

2. **Bist du es?** lit., "are you it?" *is it* (that) *you?*

3. **die Mutter,** no article in English.

Page 31. — 1. **mir,** privative dative, cf. page 21, note 3.

2. **der Ägyp'ter,** "Egyptian," i.e., "the stork," which is found throughout Europe, but passes the winter in North Africa, particularly in Egypt.

3. **Erbsenstangen,** *pea-sticks,* material for nest-building. Though occasionally using trees for the purpose, the European stork more commonly places his nest — a huge pile of short sticks — on buildings.

4. **aufgebundenen,** *trained on the walls* or *on trellises,* quite a common method of fruit culture in Germany.

5. **Pfirsich=** (Germanized form of Lat. "Persica" [= Persian apple], the botanical name of the "peach") **und Apriko'senbäumen** = **Pfirsichbäumen und Aprikosenbäumen.**

6. **die Spritfabrik** (**Sprit** a popular contraction of **Spiritus,** "spirit[s]") = **Spiritusbrennerei,** *distillery.*

7. **Taxuswände,** *hedges of yew-trees.* **Der Taxus,** bot., "Taxus baccata," an evergreen tree, indigenous in most parts of Europe. In bygone days it was planted in gardens and on account of its gloomy aspect was also frequently found in churchyards.

8. **sonnen= und arbeitsheißen,** cf. note 5 above.

Page 32. — 1. **mit steilen Laubwänden,** *with steep hedge-rows,* a relic of the ornamental gardening of the end of the XVIII. century, which by clipping and cutting gave all kinds of fanciful forms to arbors, thickets, and trees planted in line.

2. **„Mein Gott!"** must not be translated literally, since it does not mean here any more than English "good gracious" or "goodness" or "heavens."

3. **uns,** reciprocal pronoun, cf. page 30, note 1.

4. **wie,** cf. page 2, note 7.

5. **der** (dative sing. feminine of the relative pronoun) = welcher.

Page 33. — 1. **nun,** *now that* or *since.*

2. Erich's German is far from being up to the standard.   Here he means to say: „Sieh nur, wie fremd und vornehm er jetzt aus-sieht!"

3. **die,** *during which.*

4. **der Meerschaumkopf,** "meerschaum bowl," trans., *meer-schaum pipe;* der Meerschaum, lit., "sea-foam," is a superior kind of fine, white clay from Asia Minor.

5. **Am andern Tage,** cf. page 8, note 2.

6. **mußte mit ihm hinaus,** cf. page 5, note 3.

7. **Zu Mittag,** "at midday," trans., *for dinner.*

Page 34. — 1. **habe,** indirect subjunctive, cf. page 4, note 7.

Page 35. — 1. **erwarte** for erwartete, cf. page 21, note 4.

2. **ja,** here accented adversative particle = ja sogar or vielmehr, *nay even, nay rather;* about the *un*accented adverbial expletive ja, cf. page 4, note 1.

3. **es ging,** *it was going* (on).

Page 36. — 1. **tiro'ler Schna'derhüpfel,** *Tyrolese ditties.*   In the Alpine districts of Bavaria, Austria, and the Tyrol the moun-taineers for ages have been noted for their skill of giving vent, ex-tempore, to their feelings in the form of Schnaderhüpfel (dial. = Schnitterhüpfen, "reapers'-hops" = dancing songs).   They have all the same rhythm, are sung to the accompaniment of the cithern, the favorite instrument of the mountaineers, and recite in verse more or less rude, the incidents and interests of mountain life, the adventures of lovers, etc.

2. **das Ding,** "thing," has a double plural form, Dinge and Dinger, the latter being usually applied with a sense of pity and contempt = "silly, light or worthless things"; *trifles.*

3. **Frisen're** (from French, partly Germanized; pronounce fri-söre), *hair-dressers.*

4. **Mari'engarn,** "St. Mary's yarn," *gossamer* or *gossemer* (i.e., God's summer), that fine, filmy substance, which like cobwebs,

floats in the air in calm clear weather, especially in autumn, and is formed by small species of spiders; it is also called 𝔐𝔞𝔯𝔦𝔢𝔫𝔣𝔞̈𝔡𝔢𝔫, "St. Mary's threads," from the legend that these threads are relics of the neckcloth or winding-sheet, with which the Virgin was invested, and which fell away from her, as she ascended to heaven.

5. „𝔍𝔠𝔥 𝔰𝔱𝔞𝔫𝔡 𝔞𝔲𝔣 𝔥𝔬𝔥𝔢𝔫 𝔅𝔢𝔯𝔤𝔢𝔫"; the beginning of an old *Volkslied* found in various forms and under various names (*e.g.*, 𝔡𝔦𝔢 𝔑𝔬𝔫𝔫𝔢; 𝔡𝔞𝔰 𝔏𝔦𝔢𝔡 𝔳𝔬𝔪 𝔧𝔲𝔫𝔤𝔢𝔫 𝔊𝔯𝔞𝔣𝔢𝔫, etc.), which tells the pitiful story of a lovely, but poor maiden, who entered the convent, because her titled lover could not wed her. — Herder discovered it in Alsace, 1778. — For text and music see Erk's *Liederschatz*, vol. III, page 92 (Edition Peters). — In *Des Knaben Wunderhorn*, the well-known collection of popular ballads, vol. I, page 103 (Berlin, 1873), the first stanza runs thus:

> 𝔖𝔱𝔲𝔫𝔡 𝔦𝔠𝔥 𝔞𝔲𝔣 𝔥𝔬𝔥𝔢𝔫 𝔅𝔢𝔯𝔤𝔢𝔫
> 𝔘𝔫𝔡 𝔰𝔞𝔥 𝔴𝔬𝔥𝔩 𝔲̈𝔟𝔢𝔯 𝔡𝔢𝔫 𝔕𝔥𝔢𝔦𝔫;
> 𝔈𝔦𝔫 𝔖𝔠𝔥𝔦𝔣𝔣𝔩𝔢𝔦𝔫 𝔰𝔞𝔥 𝔦𝔠𝔥 𝔣𝔞𝔥𝔯𝔢𝔫,
> 𝔇𝔢𝔯 𝔕𝔦𝔱𝔱𝔢𝔯 𝔴𝔞𝔯𝔢𝔫 𝔡𝔯𝔢𝔦 . . .

Page 37. — 1. 𝔡𝔦𝔢 𝔖𝔱𝔞𝔯𝔨𝔢, 𝔖𝔱𝔞̈𝔯𝔨𝔢 or 𝔖𝔱𝔢𝔯𝔨𝔢 (Eng. Scotch cognate "stirk"), in Southern popular language for the common German term 𝔡𝔦𝔢 𝔉𝔞̈𝔯𝔰𝔢, *young cow; heifer*.

2. 𝔴𝔦𝔢 𝔖𝔠𝔥𝔞𝔲𝔪, "like foam," while the earlier editions have 𝔴𝔦𝔢 𝔖𝔠𝔥𝔞𝔪 (= 𝔖𝔠𝔥𝔞𝔪𝔯𝔬̈𝔱𝔢, "blush"; "rosy tint"); although the latter would seem the preferable reading, it is not unlikely that the author himself preferred 𝔴𝔦𝔢 𝔖𝔠𝔥𝔞𝔲𝔪.

Page 38. — 1. 𝔟𝔢𝔰𝔢𝔰𝔰𝔢𝔫, auxiliary ?

2. 𝔦𝔫 𝔈𝔥𝔯𝔢𝔫, archaic and poetical dative formation.

3. 𝔰𝔱𝔲̈𝔫𝔡𝔢, obsolescent form of past subjunctive = 𝔰𝔱𝔞̈𝔫𝔡𝔢, here = condit. 𝔰𝔱𝔢𝔥𝔢𝔫 𝔴𝔲̈𝔯𝔡𝔢.

4. 𝔴𝔬𝔯𝔡𝔢𝔫, archaic and poetical for 𝔤𝔢𝔴𝔬𝔯𝔡𝔢𝔫.

5. 𝔣𝔞𝔫𝔤' 𝔦𝔠𝔥 𝔞𝔫, simply *shall I do*.

6. 𝔞𝔩𝔩' 𝔪𝔢𝔦𝔫' 𝔖𝔱𝔬𝔩𝔷 𝔲𝔫𝔡 𝔉𝔯𝔢𝔲𝔡' for 𝔞𝔩𝔩(𝔢𝔫) 𝔪𝔢𝔦𝔫𝔢𝔫 𝔖𝔱𝔬𝔩𝔷 𝔲𝔫𝔡 𝔞𝔩𝔩(𝔢) 𝔪𝔢𝔦𝔫𝔢 𝔉𝔯𝔢𝔲𝔡𝔢.

7. 𝔴𝔞̈𝔯' (= 𝔴𝔞̈𝔯𝔢, optative subjunctive expressing a wish as unreal or impossible) 𝔡𝔞𝔰 𝔫𝔦𝔠𝔥𝔱 𝔤𝔢𝔰𝔠𝔥𝔢𝔥𝔢𝔫! *that this had not happened!*

8. 𝔫𝔞𝔠𝔥𝔤𝔢𝔥𝔢𝔫, object (𝔦𝔥𝔯) implied.

Page 39. — 1. es (indef.) war unter ihm weg, "the bottom under him was gone"; trans., *he reached no bottom; he was out of his depth.*

2. eine Zeit lang, cf. page 19, note 2.

Page 40. — 1. es war, cf. es war ihm, page 25, note 1.

2. es wurde ihm (idiom. phrase), *he began to feel; he felt.*

3. vor sich gehen (idiom. phrase) sollte (idiom.), *was to take place.*

4. was Tausend! or der Tausend! or potz Tausend! ("the deuce!"); in this popular interjectional phrase Tausend is supposed to be a fanciful emphemism for der Tausendkünstige, "the one with thousand tricks," one of the untold number of epithets of the Evil one; trans., *good gracious!* or *dear me!* or *well, I declare!*

Page 41. — 1. This evening adventure with its romantic accessories may perhaps be taken as a symbol of the whole story; the white water-lily representing, of course, Elizabeth.

2. es (indef., cf. page 14, note 2) kam ihm, "it came into his mind"; trans., *it struck him.*

Page 42. — 1. mit einer . . . Aussicht; construe mit einer Aussicht reichend weit ins Land.

2. Wo ist sie geblieben? idiomat. phrase; *what has become of it?*

3. Es wird gewittern, *a storm is approaching;* but the earlier editions have: Es wird Gewitter.

Page 43. — 1. ihr Antlitz, by synecdoche for ihr Mund or ihre Lippen.

2. Frauenhände, die nachts auf krankem Herzen liegen. It is interesting to compare this passage with the poem *Frauenhand* (see Storm's *Sämtliche Werke*, vol. VIII, page 205):

> Ich weiß es wohl, kein klagend Wort
> Wird über deine Lippen gehen;
> Doch was so sanft dein Mund verschweigt,
> Muß deine blasse Hand gestehen.
>
> Die Hand, an der mein Auge hängt,
> Zeigt jenen feinen Zug der Schmerzen,
> Und daß in schlummerloser Nacht
> Sie lag auf einem kranken Herzen.

3. **fie fie;** to avoid repetition of the same word, the second fie (object) might better have been replaced by the corresponding form of the demonstrative pronoun, i.e., **biefelbe.**

4. **ein eingefchirrter Hunb,** *a harnessed dog;* occasionally dogs are harnessed to draw small carts in Germany.

5. **wollte,** here *was to; was on the point of* . . .

6. **bas empfangene Almofen in der Hand,** i.e., **mit dem Almofen,** *with (having* or *holding) the money in her hand.*

Page 44. — 1. **Ein altes Lied** . . .   A most affecting episode. By this unexpected meeting with the once beautiful cithern-girl, Reinhard is forcibly reminded of that fateful Christmas eve in the university town and of his negligence, which resulted in the loss of Elizabeth.   And what could bring to him with more overwhelming power the perception of the desolateness of his own future than the two lines of the girl's song:

> Sterben, ach fterben
> Soll ich allein!

2. **eine Stunde lang,** cf. eine Zeit lang, page 19, note 2.

3. **wollte,** cf. page 43, note 5.

Page 45. — 1. **er that vor fich felbft** (idiomatic phrase, "he acted to himself"), trans., *he made himself believe.*

2. **wolle** for wollte, cf. page 21, note 4.

3. The play of the words **fchlug** ("struck up") and **Schlag** ("beating"), in the next line is altogether lost in English.

4. **alles,** neuter sing. idiomatically for masc. and fem. pl. = alle ("all persons without exception"), *every one.*

5. **legte fich ins offene Fenfter,** *leaned out of the window.*

6. **priefterten** (from der **Priefter,** "priest"; "preacher"), "preached"; trans., *prated; talked big;* the word seems to have been coined by the author, since it is not found anywhere else.

7. **es** (indef., here = jemand ; man), *somebody.*

Page 46. — 1. **lüge nicht!** "do not lie!" trans , *do not deny it!* or *do not deceive me!* or *tell the truth!*

2. **zu,** in the sense of "towards," "in the direction of," follows its case.

3. **vor ihm auf stieg** . . . for the sake of emphasis, while the common word-order would be **vor ihm stieg** . . . **auf.**

4. **blickte vor sich hin,** *gazed before him.*

5. **ein,** cf. page 28, note 9.

VOCABULARY

Words translated in the Notes are purposely excluded from the Vocabulary.

A

ab, off, down; auf und —, up and down.

Abend, *m.*, evening, West; abends, in the evening.

A'bendbank, *f.*, "e, evening bench.

A'bendessen, *n.*, supper.

A'bendschein, *m.*, evening glow.

A'bendsonnenduft, *m.*, haze of the setting sun.

A'bendstille, *f.*, calm of the even-

aber, but, however; yet.   [ing.

Abhang, *m.*, "e, precipice, slope.

ab-hangen, hing, gehangen, to depend (on, von).

ab-holen, to call for, come after.

ab-kehren (sich), to turn away.

ab-liefern, to deliver.

Abrede, *f.*, agreement.

Abreise, *f.*, departure.

Abschied, *m.*, leave, parting.

Abschnitt, *m.*, part.

Absicht, *f.*, intention; in der —, with the intention.

ab-stechen, stach, gestochen, to contrast (with, von).

abwärts, downward, down the hill.

abwechselnd, alternating; by (in) turns.

ab-wenden (sich), wandte, gewandt, to turn away.

ab-werfen, warf, geworfen, to throw aside, take off.

Ab'wesenheit, *f.*, absence.

Accent', *m.*, accent.

ach! oh! ah! alas!

Acker, *m.*, ", field.

Adler, *m.*, eagle.

ähnlich, similar, like; — sehen, to look like.

all, whole, every, each; -e, all the people, every one (of them); -es, everything; -e mit einander, each and every one, all together.

allein', *adj.*, *adv.*, alone, forsaken, only; *conj.*, but, however.

al'lerlei (allerlei'), all kinds of.

allgemein' (all'gemein), universal, common.

allmäh'lich, gradually.

Al'mosen, *n.*, alms; money.

67

als, as, than, but; *conj.,* as, when; (= — wenn) as if.

alt, old; der Alte, old man; Alte, die Alten, old people.

Alter, *n.,* age.

Altſtimme, *f.,* alto (voice); verdeckte —, mellow alto.

am = an dem.

an (*dat., acc.*), on, at, to, by, near; up to; along; against, of; — entlang, (all) along.

an=blicken, to look at.

an=brennen, brannte, gebrannt, to light.

an'dächtig, attentive.

ander, other, opposite; next; —s, otherwise, else; —s werden, to change.

anderswo, elsewhere.

an=fangen, fing, gefangen, to begin, do.

an=fragen, to propose.　　[cern.

an=gehen, ging, gegangen, to con-

an=gehören, to belong.

an'gelegentlich, eagerly, zealously.

an'gewurzelt, rooted to the spot.

ängſtigen, to trouble, worry.

ängſtlich, anxious, eager.

an=heimeln, to remind of home.

an=hören, to listen to, tell from listening (to, *dat.*).

an=klagen, to accuse.

an=kleiden, (ſich), to dress (one's self).

an=klingen, klang, geklungen, to (re)sound; mit halber Stimme — laſſen, to hum.

an=knöpfen, to button on.

an=kommen, kam, gekommen, to arrive.　　　　　　　　[visitor.

An'kömmling, *m.,* (new) arrival,

Ankunft, *f.,* arrival.

an=legen, to build.

anmutig, graceful.

ans = an das.

an=ſchließen (ſich), ſchloß, geſchloſſen, to join, be joined *or* connected.

an=ſchüren, to poke.

an=ſehen, ſah, geſehen, to look at, watch.

an=ſtarren, to stare at.

an=ſtimmen, to strike up, begin to sing.

Antlitz, *n.,* face.

an=treten, trat, getreten, to enter upon; to take charge of.

Antwort, *f.,* answer.

antworten, to answer.

an=wandeln, to befall, seize.

an'weſend, present; die Anweſenden, those present, the company.

an=ziehen, zog, gezogen, to begin to pull, start.

an=zünden, to light.　　　[tree.

Apriko'ſenbaum, *m.,* "e, apricot

Arbeit, *f.,* work.

ar'beiten, to work, study.

ar'beitsheiß, heated by (with) work *or* labor.

Arm, *m.,* -e, arm.

arm, "er, "ſt, poor.

Art, *f.,* -en, kind, manner; species.

Aſt, *m.*, ⁼e, branch.

Atem, *m.*, breath(ing); der — ſtand ihm ſtill, he could scarcely breathe.

ā'temlos, breathless, out of breath.

A'temzug, *m.*, ⁼e, breath; einen tiefen — thun, to draw a deep breath.

Atmen, *n.*, breathing.

auch, also, too, likewise, besides, moreover; — nicht, neither, nor ... either; — keine Löwen, no lions either.

auf (*dat.*, *acc.*), on, upon; over; in(to), up, up to, against, (time) for; — ſo lange, for so long a time; *adv.*, open; — und ab, up and down; — und nieder, up and down.

auf=bewahren, to keep.

auf=binden, band, gebunden, to fasten on.

aufblicken, to look up.

auf=fliegen, flog, geflogen, to fly up.

auf=führen, to build, erect.

auf=geben, gab, gegeben, to give up.

auf=gehen, ging, gegangen, to go up, rise; to open (*intrans.*); -d, rising, youthful.

auf=halten, hielt, gehalten, to detain, stop.

auf=hören, to cease, disappear.

auf=machen, to open.

auf'merkſam, attentive.

Auf'merkſamkeit, *f.*, attention.

auf=nehmen, nahm, genommen, to receive; to open (*intrans.*) to some one.

auf=reißen, riß, geriſſen, to tear open.

auf=rollen, to unroll.

auf=ſchlagen, ſchlug, geſchlagen, to open, raise.

auf=ſchließen, ſchloß, geſchloſſen, to unlock.

auf=ſchreiben, ſchrieb, geſchrieben, to write down.

auf=ſehen, ſah, geſehen, to look up.

auf=ſetzen, to put on; to build; neu —, to rebuild.

auf=ſpringen, ſprang, geſprungen, to jump up.

auf=ſtehen, ſtand, geſtanden, to stand up, rise.

auf=ſteigen, ſtieg, geſtiegen, to rise.

Auftrag, *m.*, ⁼e, order, commission.

auf=werfen (ſich), warf, geworfen, to appoint one's self (as, zu), assume the office (of, zu).

Auf'zeichnung, *f.*, record, acquisition.

Auge, *n.*, -n, eye; böſe -n, angry look; ins — faſſen, to fix one's eyes upon.

Au'genblick, *m.*, moment, minute.

aus (*dat.*), out of, from; through.

Aus'bildung, *f.*, education.

aus=breiten, to spread out.

aus=brennen, brannte, gebrannt, to burn out, stop burning.

Ausdruck, *m.,* ⁿe, expression, embodiment.

auseinan'der, from one another.

auseinan'der-treten, trat, getreten, to separate.

ausgelassen, unrestrained, unbounded.

aus-leeren, to empty.

aus-nehmen (sich), nahm, genommen, to look.

aus-recken, to stretch out.

aus-rufen, rief, gerufen, to call out.

aus-ruhen (sich), to rest (one's self).

aus-sehen, sah, gesehen, to look; das Aussehen, look(s), appearance.

Aussicht, *f.,* view, vista.

Aussprache, *f.,* pronunciation.

aus-strecken, to stretch out.

aus-streuen, to spread, sprinkle.

aus'wendig, thoroughly, by heart.

äußer, outer, exterior; das Äußere, appearance.

B

Bach, *m.,* ⁿe, brook.

bald, soon; — . . . —, now . . . then; so — nicht, not for some time.

Band, *n.,* ⁿer, ribbon.

band . . . los, see los-binden.

Bank, *f.,* ⁿe, bench, seat.

Bastei', *f.,* bastion, point.

Bau, *m.,* -e (Bauten), building.

bauen, to build.

1. **Bauer,** *m.,* *pl.* -n, farmer, peasant.

2. **Bauer,** *m.,* *n.,* —, (bird-)cage.

Baum, *m.,* ⁿe, tree.

Baumschatten, *m.,* —, shadow of a tree; *pl.* shady ground, glen, shady recess(es).

Baumstamm, *m.,* ⁿe, tree-trunk.

Baumstumpf, *m.,* ⁿe, tree-stump.

bedecken, to cover.

beeilen, to hasten.

befehlen, befahl, befohlen, to order, say.

Befrie'digung, *f.,* satisfaction.

begegnen, to meet (some one, *dat.*).

begehen, beging, begangen, to enjoy, celebrate.

beginnen, begann, begonnen, to begin.

begleiten, to accompany.

begreifen, begriff, begriffen, to understand.

begrenzen, to bound, border.

behalten, behielt, behalten, to keep, retain.

behüt'sam, cautious, careful.

bei (*dat.*), by, near (by), at, on, with; — uns, with us, at our house.

beide, both.

beim = bei dem.

beisam'men, together.

bekannt', acquainted.

bekom'men, bekam, bekommen, to get, receive; geschickt —, to receive by mail.

bemäch'tigen (ſich), to seize, come over.

bemerken, to notice.

Bemü'hung, *f.*, effort.

benut'zen, to use; to visit, frequent.

bereit', ready, at hand.

bereiten, to prepare.

bereit'willig, ready, willing.

Berg, *m.*, mountain, hill.

Ber'geshalde, *f.*, hillside.

beschäf'tigen, to occupy; beſchäftigt, busy.

beschränkt', limited, small.

beschreiben, beſchrieb, beſchrieben, to write upon, fill (cover) with writing.

besinnen (ſich), beſann, beſonnen, to bethink one's self; to change one's mind.

besitzen, beſaß, beſeſſen, to possess.

besorgen, to prepare, get ready.

best, best; am —en, best.

bestaubt' (beſtäubt), dust-covered.

bestecken, to stick around, cover, garnish.

bestehen, beſtand, beſtanden, to consist (of, auß).

bestellen, to arrange, appoint.

bestimmen, to fix; to classify; beſtimmt, certain, definite.

bestreuen, to strew over, cover.

Besuch', *m.*, -e, visit.

besü'chen, to (pay a) visit.

Bettelkind, *n.*, -er, beggar child.

betteln, to beg; — gehen, to beg one's way.

Bettlerin, *f.*, -nen, beggar woman.

bewēgen, to move; bewog, bewo= gen, to induce.

bewē'gungslos, motionless.

bewußt', aware, conscious; ſich — werden, to become conscious, discover.

biegen, bōg, gebōgen, to bend.

Biene, *f.*, bee.

Bild, *n.*, -er, picture, painting; -er von Menſchen, portraits; -er von Gegenden, landscapes.

binden, band, gebunden, to tie, fasten.

Bindfaden, *m.*, ", thread, string.

bin's = bin es.

Birke, *f.*, birch (tree).

Birkenstamm, *m.*, "e, trunk of a birch.

bis (— an, *acc.*; — zu, — nach, *dat.*), to, up to, as far as; till; *conj.*, until.

bischen (bißchen), *n.*, little bit; somewhat.

Bitte, *f.*, request.

bitten, bāt, gebēten, to beg, ask; bitte (= ich bitte), please!

blank, bright, glittering.

blaß, pale.

blaßgelb, pale yellow.

Blatt, *n.*, "er, leaf.

blättern, to turn the leaves (of a book).

blät'terreich, leafy, thickly leaved.

blau, blue; das Blau(e), blue color; azure.

Blech′kapfel, f., tin or plant-box.

Blech′trompēte, f., tin or toy-trumpet.

bleiben, blieb, geblieben, to remain, rest, be left; to be, become of; ſtehen —, to stand still, stop.

Bleiſtift, m., lead-pencil.

Blick, m., look; eyes.

blicken, to look, gaze, stare.

blickte . . . hin, see hin=blicken; **blickte . . . hinü′ber,** see hinüber=blicken; **blickte . . . zurück′,** see zurück=blicken.

blieb . . . zurück′, see zurück=bleiben.

blitzen, to flash, sparkle.

blühen, to bloom.

Blume, f., flower.

Blu′menbeet, n., flower-bed.

Blüte, f., blossom.

Böden, m., bottom, ground.

Bögen, m., sheet (of paper).

Bord, m., board.

Börſe, f., purse.

bös (böſe), bad, angry.

Böta′nik, f., botany.

Bötaniſier′kapfel, f., plant-box.

Bräten, m., roast meat.

brauchen, to need; = gebrauchen, to use.

braun, brown, tawny, sunburnt.

brauſen, to tingle, hum.

brĕchen, brăch, gebrŏchen, to break; (break the seal =) to open a letter; = durchbrechen, to break through or forth.

breit, broad, wide, wide-spreading.

brennen, brannte, gebrannt, to burn, be lighted; –d, lighted.

Brett, n., –er, board.

Brief, m., letter.

Brigit′te, Bridget.

bringen, brachte, gebracht, to bring; to take, lead.

Brōt, n., bread.

Brüder, m., ″, brother.

Bruſt, f., ″e, breast, chest.

Būch, n., ″er, book.

Büche, f., beech-tree.

Bü′chenwaldung, f., beech-wood(s).

Bü′cherſchrank, m., ″e, book-case.

bücken (ſich), to stoop, bend over.

Buſch, m., ″e, bush, copse, wood(s).

Butter, f., butter.

D

da, there, here; then; conj., as, since.

dabei′ (emphat. dā′bei), thereby, in it, (in connection) with it; in this, in doing so.

Dach, n., ″er, roof.

dachte, see denken.

dadurch′ (emphat. dā′durch), by it, by that; by this.

dafür′ (emphat. dā′für), in return for it or this.

da′geweſen, see da=ſein.

daheim′, at home.

dahin′ (emphat. dā′hin), thither, there; along, away.

dahin′ter, behind it.

dahinun'ter (*emphat.* **dä'hinunter**), down there.

damit', with it; *conj.*, that, in order that; **da'mit**, with this.

däm'merig, dusky.

dämmern, to grow dark; **es dämmert**, the evening sets in.

Däm'merung, *f.*, twilight, dusk.

dampfen, to steam, smoke.

da(r)nach' (*emphat.* **dä'[r]nach**), after (for, about) it *or* this.

dane'ben, beside it.

dane'ben-liegen, **lag**, **gelegen**, to lie near.

Dank, *m.*, thanks.

Dank'barkeit, *f.*, gratitude.

dann, then; — **und wann**, now and then.

daran' (*emphat.* **dä'ran**), on (to, at, by, of) it *or* this.

daran'-gehen, **ging**, **gegangen**, to begin, be about.

daran'-liegen, **lag**, **gelegen**, to lie close to.

darauf' (*emphat.* **dä'rauf**), thereon, thereupon; on (to, into) it *or* this; **gleich** —, soon after.

darauf'-legen, to put down; to take hold.

daraus' (*emphat.* **dä'raus**), out (of) it *or* this; — **hervor**, forth from among them; **es wird nichts** —, it comes to nothing.

darein', therein, into (to) it; around.

darein'-ergeben (**sich**), **ergab**, **ergeben**, to submit to, resign one's self to.

darein'-schauen, to gaze into; to look, appear.

darf, *see* **dürfen**.

darin' (*emphat.* **där'in**), therein; in it, in them, in this, in which.

darnach' (*emphat.* **där'nach**), after, about it *or* this.

darü'ber, (*emphat.* **där'über**), over it, them *or* this; — **her**, (spreading) over them.

darü'ber-liegen, **lag**, **gelegen**, to be shed *or* overspread.

darum' (*emphat.* **där'um**), therefore, for it *or* this.

darun'ter, beneath it *or* them, among them, in among.

das = dieses, **dies**, this, that.

dä'-sein, **war**, **gewesen**, to be there *or* here.

dä'-stehen, **stand**, **gestanden**, to be there *or* here.

daß, that; so that; in order that.

dauern, to take *or* last (time).

davon' (*emphat.* **dä'von**), thereof, therefrom; of it *or* them, from them; away, aside.

davon'-gehen, **ging**, **gegangen**, to go away.

davor' (*emphat.* **dä'vor**), before it *or* this; by it.

dazu' (*emphat.* **dä'zu**), to (at) it *or* this; in addition to, in the meantime, for this occasion; for this reason, besides.

dazwi'ſchen, between (among, in the midst of) them.

Decke, f., cover.

dehnen (ſich), to stretch one's self or one's limbs.

dein, deine, dein, your.

dē'mütig, submissive, humble.

dēnen (dat. pl., relat. pron.) = **welchen.**

denken, dachte, gedacht, to think (of, an).

denn, then, say! conj., for; — aber, but, say!

dennoch, yet, after all.

der, die, das, the; who, which; this, that, the latter.

dēren (genit., relat. pron.), of which, of whom; of them, whose.

dēr'lei, this or that kind of, of such kind.

derſel'be, dieſel'be, dasſel'be, the same.

des'halb, therefore, for that or all that.

de'ſto, the with comparat.; — mehr, the more; — größer, the greater.

deutlich, distinct.

dicht, thick, dense, close, fast; — davor, close by it.

dichtbelaubt, thickly leaved.

dichten, to write (poetry), compose (verses).

Dichter, m., poet.

Diele, f., entrance hall, vestibule.

dieſer, dieſe, dieſes, this; the latter.

Ding, n., thing.

disktutie'ren, to discuss; –d, conversing.

doch, yet, after all, you know; please!

doppelt, double, twice.

dort, there.

dorthin' (emphat. dort'hin), thither, there.

draußen, outside, without; away, abroad.

drei, three. [trichord.

Dreiklang, m., harmonic triad,

drinnen = darinnen, within, inside.

Droſſel, f., thrush.

du, (thou) you.

Duft, m., "e, fragrance; haze.

duften, to smell, scent.

Dunkel, n., darkness.

dunkel (attrib., dunkler), dark, black.

dunkelblau, dark blue.

dünken, to seem; mich (mir) dünkt, methinks, I think.

durch (accus.), through; by.

durcheinan'der, mingled, in confusion.

durch=gehen, ging, gegangen, to go through or on.

durchnäßt', wet through, drenched.

durchs = durch das.

durch=ſehen, ſah, geſehen, to look through or over.

durch'ſichtig, transparent.

durchwan'dern, to walk through, traverse.

dürfen (*pres. ind.*, darf, darfst, darf; dürfen, etc.), durfte, gedurft, to dare, be allowed; may, can.

Durst, *m.*, thirst.

E

eben, even, smooth, regular; just; —so, just so, just as, the very same; noch — Zeit genug, just in time.

Ecke, *f.*, corner.

ehe, before.

e'hedem, formerly; former days.

Ehre, *f.*, honor; in —n stehen, to be honorable.

ehrlich, honest, fair, well-behaved.

Ei, *n.*, -er, egg.

ei! oh! why! — was, why! you don't say so!

Eiche, *f.*, oak.

eichen, oaken.

Eichentisch, *m.*, oak table.

Eich'kätzchen, *n.*, squirrel.

Eifer, *m.*, anger, ire.

eifrig, busy, eager.

eigen, (one's) own; peculiar; —st, inmost.

eigentüm'lich, strange, odd

eilig, hasty.

ein, eine, ein, a(n); one.

einan'der, each other, one another; alle mit —, all together.

ein=biegen, bog, gebogen, to turn in.

eines = eins, one, one thing.

einfach, simple, plain.

ein'förmig, uniform; monotonous.

ein=gehen, ging, gegangen, to enter into, agree (to, auf).

ein'gewurzelt, rooted to the spot.

ein=handeln, to buy, purchase.

einig, some, any; —e, some, a few.

ein=kehren, to pay a visit (to, bei).

einmal (*indef.*, *unaccented*), once (upon a time); ein'mal (*def.*), one time, once; auf —, all at once.

ein'sam, lonesome, solitary.

ein=setzen, to strike in, play.

einst, once, formerly.

ein=treten, trat, getreten, to enter; to take place.

Eintritt, *m.*, entrance; beim —, on entering.

ein'zeln, single; —e, several, a number of.

Element', *n.*, element.

Elf, *m.*, -en, -en, elf.

Eli'sabeth, Elizabeth.

empfan'gen, empfing, empfangen, to receive.

empfin'den, empfand, empfunden, to feel, perceive.

empör', up, up the hill.

empör=gehen, ging, gegangen, to lead up (the hill).

emsig, busy.

Ende, *n.*, end; am —, at the

end, on the confines; finally;
zu —, finished, done.

endlich, finally, at last.

eng, narrow.

Engel, *m.*, angel.

entfer'nen (sich), to withdraw.

Entfer'nung, *f.*, distance.

entge'gen (*dat.*, *postpositive*),
against; towards.

entge'gen-gehen, ging, gegangen,
to go towards, go to meet
(one, *dat.*).

entge'gen-halten, hielt, gehalten,
to hold out to *or* towards
(one, *dat.*).

entge'gen-heben, hob, gehoben,
to lift *or* raise to *or* towards
(one, *dat.*).

entge'gen-kommen, kam, gekommen, to come towards, come
to meet (one, *dat.*).

entge'gen-rufen, rief, gerufen, to
call (to, *dat.*).

entge'gen-schlagen, schlug, geschlagen, to float towards (one,
dat.), reach, greet.

entge'gen-strecken, to stretch towards (one, *dat.*).

entge'gen-tragen, trug, getragen,
to carry towards (one, *dat.*).

entlang', along; an . . . —,
along, all along.

entlang'-gehen, ging, gegangen,
to walk along.

entschlie'ßen (sich), entschloß,
entschlossen, to make up
one's mind, decide (upon, to,
zu).

entste'hen, entstand, entstanden,
to arise, happen.

entzie'hen, entzog, entzogen, to
withdraw (from, *dat.*).

er, sie, es, he, she, it; er selbst,
he himself.

erbit'ten, erbat, erbeten, to per-
suade.

erblick'en, to catch sight of,
see.

erdacht', *see* erdenken.

Erd'beere, *f.*, strawberry.

Erd'beerenschlag, *m.*, "e, strawberry patch *or* plot.

Erd'beerensuchen, *n.*, search for
strawberries.

Erd'beerenzeit, *f.*, strawberry-
season.

erden'ken, erdachte, erdacht, to
think out, devise.

erfahren, erfuhr, erfahren, to
hear, learn.

Erfrisch'ung, *f.*, refreshment.

erfüllen, to fill, replenish.

ergeben (sich), ergab, ergeben, to
resign one's self (to something,
darein).

erhaben, grand, sublime; er
kam sich sehr — vor, he felt
very proud.

erhalten, erhielt, erhalten, to receive, get.

erheben (sich), erhob, erhoben, to
spring up, rise.

erhitzt', heated, glowing.

Eri'ka (E'rika), *f.* (bot. *Erica
vulgaris*), heather.

E'rich, Eric.

erkennen, erkannte, erkannt, to recognize, perceive.

erkundigen (ſich), to inquire.

Erlaub'niß, *f.,* permission.

erleuchten, to light up.

erlöſen, to relieve; –d, delivering, effective.

ernſt, earnest, serious.

erreichen, to reach, overtake.

erröten, to grow red, blush.

erſt, first, only; — vor zwei Jahren, only two years ago.

ērſtan' (*provinc.*), at first, in the beginning.

ēr'ſtenmal (zum), for the first time.

erwarten, to await, expect.

Erwartung, *f.,* expectation.

erwidern, to reply, rejoin.

erzählen, to tell, narrate.

es, it; ſie ſagen es, they say so; es ſtehen, there are.

eſſen, aß, gegeſſen, to eat.

etwa, perhaps, perchance.

etwas, somewhat; slightly.

euch, you, to you.

euer, eure, euer, your.

E'wigkeit, *f.,* eternity; in alle —, to all eternity.

Exemplar', *n.,* –e, specimen.

Exkurſiön', *f.,* excursion.

F

fähren, führ, gefähren, to drive, ride, go; — laſſen, to let go.

Fährt, *f.,* journey; ſich auf die — machen, to set out.

Falke, *m.,* falcon.

fallen, fiel, gefallen, to fall, drop, precipitate; to be reflected.

falſch, false, treacherous.

falten, to fold.

Falter, *m.,* —, butterfly.

Famī'lie, *f.,* family.

famī'lienweiſe, with their families.

Famī'lienzimmer, *n.,* sitting room.

fang . . . an! *see* an=fangen.

Farnkraut, *n.,* "er, fern.

faſſen, to seize, take hold (by, an); ins Auge —, to fix one's eyes upon, take a view of.

faſt, almost, nearly, about.

fēgen, to sweep.

fehlen, to be wanting *or* lacking; to ail; mir fehlt, I miss; was fehlt dir? what ails you?

fein, fine, delicate, slight; subdued; quick, smart.

Feld, *n.,* –er, field(s).

Felſen, *m.,* rock, cliff.

Fenſter, *n.,* window.

Fen'ſterſcheibe, *f.,* window-pane.

Fē'rien, *pl.,* Fē'rienzeit, *f.,* holidays, vacation.

fern(e), far (away), distant; von —, from afar; –er, further.

Ferne, *f.,* distance.

Fernſicht, *f.,* view, "vista."

fertig, ready, done, finished.

feſt, fast, firm.

Feſtkuchen, *m.,* —, Christmas cake.

feſtlich, festal.

feucht, damp, moist.

Feuer, *n.*, fire.

fielen ... heraus', *see* heraus=
fallen.

finden, fand, gefunden, to find,
discover; sich —, to resign
one's self (to, in).

fing ... an, *see* an=fangen.

Finger, *m.*, finger.

finster, dark, stern.

Fisch, *m.*, fish.

flach, flat, open; shallow.

flattern, to flutter, fly, wave.

Flausrock, *m.*, "e, coat of shag-
gy woolen cloth· bearskin-
coat.

Fliege, *f.*, fly.

fliegen, flog, geflogen, to fly,
float.

flink, quick, hasty.

flog ... auf, *see* auf=fliegen;
flog ... hinab', *see* hinab=
fliegen.

Flügel, *m.*, wing.

flü'gelschwingend, with vibrating
wings, poising.

Flügelthür(e), *f.*, folding door.

Flur, *f.*, field, plain; *m.*, *f.*,
entrance hall, vestibule.

flüstern, to whisper.

folgen, to follow (one, *dat.*);
—d, following, next; folgen=
des, the following; as follows.

Foliant', *m.*, -en, -en, folio
volume.

forschen, to search, scrutinize.

fort, gone, away.

fort=gehen, ging, gegangen, to
go away.

fort=schwimmen, schwamm, ge=
schwommen, to continue swim-
ming, swim on.

fort=setzen, to continue.

Fort'setzung, *f.*, continuation.

Frage, *f.*, question, inquiry.

fragen, to ask, inquire.

Frau, *f.*, -en, woman, lady, wife,
Mrs.

Frau'engestalt, *f.*, form of a
woman.

Frau'enhand, *f.*, "e, hand of a
woman.

frei, free, open, vacant; — ha=
ben, to have a holiday.

freilich, certainly, to be sure.

Freistunde, *f.*, leisure hour.

fremd, strange, unknown; der
Fremde, ein Fremder, stranger; etwas Fremdes, some-
thing strange.

Freude, *f.*, joy, enjoyment;
— machen, to afford pleasure.

freu'destrahlend, beaming with
joy.

freudig, joyous, happy.

freuen, to please, make happy.

Freund, *m.*, friend.

freundlich, friendly, kind.

Freundlichkeit, *f.*, kindness.

frieren, fror, gefroren, to
freeze.

frisch, fresh (and green), cool,
brisk.

froh, happy.

Frosch, *m.*, "e, frog.

früh, early; **–er,** earlier, in former times.

Frühlingsnachmittag, *m.,* afternoon in spring.

Frühlingssonne, *f.,* spring sun.

Frühstück, *n.,* breakfast; **zum —,** for breakfast.

fühlen, to feel, notice, be aware; **sich —,** to feel.

fuhr ... vorbei', *see* vorbeifahren; **fuhr ... vorü'ber,** *see* vorüber-fahren; **fuhr ... zusammen,** *see* zusammen-fahren.

führen, to lead.

führte ... hinaus', *see* hinaus-führen.

Fülle, *f.,* fulness, abundance.

füllen, to fill, cover.

Fund, *m.,* finding, collection, harvest.

fünf, five.

funkeln, to sparkle; **–d,** with sparkling eyes.

für (*accus.*), for, as for, of, regarding.

Fuß, *m.,* "e, foot.

Fußspitze, *f.,* tip of the foot.

füttern, to feed.

G

gab ... auf, *see* auf-geben.

gähnen, to yawn.

Gang, *m.,* "e, way, walk, avenue, passage.

ganz, whole, full, entire; **— heiß,** quite heated; **— finster,** very

dark; **— und voll,** wholly and entirely.

gar, very, too, at all; **— kein,** no ... at all; **— nicht,** not at all; **— so, — zu,** altogether too.

Garten, *m.,* ", garden.

Gar'tenmauer, *f.,* garden wall.

Gar'tenpforte, *f.,* garden gate.

Gar'tensaal, *m.,* –säle, saloon *or* large room opening into a garden.

Gar'tenthür(e), *f.,* door (of a hall) leading to the garden.

Gasse, *f.,* street.

Gast, *m.,* "e, guest, visitor, customer.

Gebäu'de, *n.,* building.

geben (*pres. ind.,* gi[e]bst, gi[e]bt; geben, etc.; *imperat.* gi[e]b!), gab, gegeben, to give; **gi(e)b!** let me have it; **es gi(e)bt,** there is, there are.

gebracht', *see* bringen.

gebräunt', burned, sunburnt.

gedacht', *see* denken.

gedämpft', subdued (voice).

Gedan'ke, *m.,* –ns, –n, thought, idea; **sich in den –n finden,** to realize; **keine –n haben,** to be distracted *or* absent-minded.

gedan'kenlos, thoughtless, unthinking.

Gedicht', *n.,* poem.

gefallen, gefiel, gefallen, to please (one, *dat.*).

gefroren, *see* frieren.   [to.

ge'gen (*accus.*), against; towards,

Ge'gend, *f.*, region, landscape; neighborhood.

gegenü'ber (*dat.*, *postpositive*), opposite.

gegenü'ber=liegen, lag, gelegen, to lie opposite.

gegenü'ber=stehen, stand, gestanden, to stand opposite.

Ge'genwart, *f.*, presence.

geheim', secret, suppressed; im —en, secretly, privately.

Geheim'nis, *n.*, -sse, secret.

gehen, ging, gegangen, to go, walk, pass, step; so geht es, so it is; die Thür geht, the door is opened; some one opens the door; es geht von Mund zu Mund, it passes from mouth to mouth; es geht mir durch den Sinn, the thought flits through my mind.

gehen . . . an, *see* an=gehen.

Gehöft', *n.*, farm, estate.

geht's = geht es.

Gei'genspieler, *m.*, violin-player.

Gei'genstrich, *m.*, violin playing.

gekannt', *see* kennen.

gelan'gen, to reach, attain, accomplish (one's end and purpose).

Geläu'te, *n.*, pealing (of bells).

gelb, yellow.

Geld, *n.*, money.

gele'gen, situated; nahe —, neighboring, adjacent.

gelo'ben, to vow.

gelt (*Southern dial.*, *interj.*), is it not so? truly.

Gemäl'de, *n.*, picture, painting.

gemein'schaftlich, common, joint.

Gemü'sebeet, *n.*, vegetable bed.

genau', exact.

genie'ßen, genoß, genossen, to enjoy.

genug', enough.

geogra'phisch, geographical, in geography.

gera'de (gerad'), straight, direct; — heraus, right out.

geräumig, roomy, spacious.

Geräusch', *n.*, noise, din.

gern(e), gladly; so —, so readily, so often.

Geruch', *m.*, ᵘe, smell, scent.

Gesang', *m.*, ᵘe, song, singing.

Geschäfts'reise, *f.*, business *or* shopping trip.

geschehen, geschah, geschehen, to happen, occur; to be done.

Geschicht'chen, *n.*, little story.

Geschichte, *f.*, story.

Geschrei', *n.*, croaking (of frogs).

geschwei'gen, to hush, silence.

gesel'len (sich), to join, associate (with, zu).

Gesell'schaft, *f.*, company, party.

Gesicht', *n.*,-er, face, appearance, character.

Gesicht'chen, *n.*, (sweet) little face.

Gesin'del, *n.*, rabble, mob; lustiges —, merry crew; "jolly blades.'

gespannt', eager, attentive.

Gestalt', *f.*, figure, form.

gefte'hen, geftand, geftanden, to confess.

geftern, yesterday; — Abend, last night.

Gefträuch', n., bush, shrub.

Geftrick', n., tangle, net-work.

Geftrüpp', n., brushwood, shrubbery.

gefund', healthy, comfortable.

gethän', see thun.

gewähr', aware; — werden, to become aware, to see.

gewäh'ren, to perceive, see.

gewäh'ren, to afford.

Gewalt', f., force; mit —, by force, forcibly.

gewalt'fam, forcible, sudden.

Gewäf'fer, n., (sheet or body of) water; wave.

gewinnen, gewann, gewonnen, to earn, acquire; to get, catch.

Gewitter, n., (thunder-)storm.

gewittern, to storm, be stormy.

Gewohn'heit, f., custom.

gewöhnlich, usual.

gewohnt', wonted, accustomed, in the habit.

Gewölbe, n., vault; hall with arched ceiling.

Gewölk', n., (mass of) clouds.

gezir'felt, circular.

gi(e)b . . . zurück', see zurück-geben.

Giebelhaus, n., "er, house with a gable-roof.

ging . . . auf, see auf-gehen; ging . . . daran', see daran-gehen; ging . . . ein, see ein-

gehen; ging . . . empor', see empor-gehen; ging . . . ent-ge'gen, see entgegen-gehen; ging . . . entlang', see entlang-gehen; ging . . . her, see her-gehen; ging . . . hin, see hin-gehen; ging . . . hinab', see hinab-gehen; ging . . . hinaus', see hinaus-gehen; ging . . . hin-ein', see hinein-gehen; ging . . . vorü'ber, see vorüber-ge-hen; ging . . . zurück', see zurück-gehen.

Gipfel, m., top.

Glanz, m., splendor, glare.

Glas, n., "er, glass.

glatt, smooth, slippery.

glauben, to believe, think.

gleich (= fogleich), at once, immediately.

gleich'bleibend, constant, even, uniform.

gleiten, glitt, geglitten, to glide, slide.

Glied, n., -er, limb.   [gleiten.

glitt . . . herunter, see herunter-

Glück, n., luck, fortune; auf gut —, at random.

glühen, to glow.

golden, golden, of gold; sparkling, bright.

Goldfink, m., -en, -en, gold-finch.

gold'glänzend, glittering (with gold).

Gott, m., God, the Lord.

Göt'zenpriester, m., heathen priest.

Gräs, *n.*, ″er, grass.

grau, gray.

grauen (*impers.*), to dread, shudder.

grävitä′tiſch, grave, solemn.

greifen, griff, gegriffen, to grasp, reach (after, nach); to strike (a chord); in die Taſche —, to put one's hand into his pocket (for money).

größ, great, big, large, tall.

Größvater, *m.*, ″, grandfather.

grün, green.

Grund, *m.*, ″e, ground, bottom.

Gruppe, *f.*, group.

grüßen, to greet, salute.

Guckfenſter, *n.*, small *or* peep-window (*opening from a room into the vestibule*).

Gut, *n.*, ″er, property, estate.

gut, good, kind, dear, esteemed, (*adv.*) well, carefully, attentively.

H

Haar, *n.*, hair.

haben, hatte, gehabt, to have.

häbhaft, having possession; — werden, to get possession (of, *genit.*).

halb, half; mit –er Stimme, half aloud, in an undertone.

halber (*genit.*, *postpositive*), on account of, because of.

halb′getrocknet, half-dried.

halb′ſtündig, half an hour's.

halb′verſtändlich, half-intelligible.

Hälfte, *f.*, half.

Hals, *m.*, ″e, neck.

Halsband, *n.*, ″er, necklace.

Halt, *m.*, halt, stop; — machen, to stop.

halt! stop! wait!

halten, hielt, gehalten, to hold, keep; Tafel —, to banquet.

Hammer, *m.*, ″, hammer.

hämmern, to hammer, peck.

Hand, *f.*, ″e, hand; = Hand-ſchrift, handwriting.

1. hangen, hing, gehangen (*intrans.*), to hang, be fixed (upon, an).

2. hängen (*transit.*), to cause to hang, *i.e.* to put, place, *often used as intrans. verb* = hengen.

hängen . . . nieder, *see* nieder-hangen.

hart, hard, close; — daran, close by it.

Haſt, *f.*, haste, hurry.

haſtig, hasty.

Haupt, *n.*, ″er, head.

Haus, *n.*, ″er, house; zu — (Hauſe), at home; nach — (Hauſe), home; zum –e hinaus, out of the house.

Hausdiele, *f.*, vestibule.

Häuſerſchatten, *m.*, —, shadow of a house.

Hausflur, *m.*, *f.*, vestibule.

Hausglocke, *f.*, doorbell.

Haus′hälterin, *f.*, –nen, housekeeper.

Hauskatze, *f.*, house(hold-)cat.

Hausthür(e), *f.*, house-door.

heben, hob, gehoben, to raise, lift.

Heft, *n.*, note-book, writing-book.

heften, to fix, fasten (upon, to, in, in).

heftig, vehement, impetuous.

Heide, *f.*, heath; heather, ling (bot. *Calluna vulgaris*).

heidebewachsen, overgrown with heather.

Heidekraut, *n.*, "er, heather; (any) plant growing on heathy ground.

heim, home.

Heimat, *f.*, home; in die —, home.

heimelte ... an, *see* an-heimeln.

heimisch, homelike; einen — machen, to make one feel at home.

heimlich, secret; = heimisch, cozy, comfortable.

heim-treiben, trieb, getrieben, to drive home.

Heimweh, *n.*, homesickness.

heiß, hot, heated, glowing.

heißen, hieß, geheißen, to be called *or* named; (*impers.*) to mean.

heiter, cheerful, bright.

Heiterkeit, *f.*, hilarity, mirth.

helfen, half, geholfen, to help, assist, accompany (one, *dat.*).

hell, clear, loud.

her, hither; along; since; lange, —, a long time since; um ihn

—, round about him; von —, from.

herab', down; die Treppe —, down (the) stairs.

herab-rieseln, to ripple down, drizzle.

heran', on, near, up to.

heran-kommen, kam, gekommen, to draw near, approach.

heran-rücken, to draw near, approach.

herauf', up, upwards; aus —, from out of; von —, up from.

herauf-kommen, kam, gekommen, to come up.

herauf-langen, to reach up.

herauf-schwanken, to stagger (totter) up.

heraus', out (of, from).

heraus-fallen, fiel, gefallen, to fall (come) out; to issue.

heraus-nehmen, nahm, genommen, to take out.

heraus-sagen, to speak out.

heraus-ziehen, zog, gezogen, to draw forth, take out.

Herdenglocke, *f.*, herd-bell.

herein', in, into; —! come in!

herein-dringen, drang, gedrungen, to press *or* float in, penetrate.

herein-fallen, fiel, gefallen, to fall into, enter.

herein-kommen, kam, gekommen, to come in, enter.

herein-schicken, to send in (town).

herein-treten, trat, getreten, to step in, enter.

her=gehen, ging, gegangen, to walk (step) along.

Herr, m., -n, -en, gentleman, sir, Mr.

Herrenhaus, n., "er, manor-house, mansion.

herrlich, splendid.

Herrlichkeit, f., splendor, glory; happiness.

herum', around, about; um —, round about.

herum=treiben (sich), trieb, getrieben, to wander about.

herum=werfen, warf, geworfen, to turn (throw) about.

herun'ter, down.

herunter=gleiten, glitt, geglitten, to glide down.

herunter=kommen, kam, gekommen, to come down.

herunter=nehmen, nahm, genommen, to take down *or* off.

hervor', forth, forward; daraus —, forth from among them.

hervor=brechen, brach, gebrochen, to break (come) forth; to appear.

hervor=ragen, to tower up, project.

Herz, n., -ens, -en, heart.

her=zeigen, to show (forth).

heut(e), to-day; — Mittag, tnis noon; für —, so far as this day is concerned.

hie = hier.

hie'mit = hiermit.

hier, here; — und da, here and there.

hierher' (*emphat.* hier'her), hither, here, this way; —! come this way!

hierhin' (*emphat.* hier'hin), hither, this direction.

hiermit' (*emphat.* hier'mit), with this.

Hier'sein, n., being here, presence, stay.

Hilfe (Hülfe), f., help, assistance.

Him'beerbusch, m., "e, raspberry bush.

hin, thither, there; — und wieder, here and there; once in a while.

hinab', down (there).

hinab=fliegen, flog, geflogen, to fly down (dash, shoot).

hinab=gehen, ging, gegangen, to go (walk) down, descend; to lead down.

hinab=schreiten, schritt, geschritten, to walk (step, pass) down.

hinab=sehen, sah, gesehen, to look down (upon, auf).

hinab=steigen, stieg, gestiegen, to step down, descend.

hinab=ziehen (sich), zog, gezogen, to stretch down, extend.

hinauf', up (there), upward; zu —, up to.

hinauf=gehen, ging, gegangen, to go up, ascend.

hinauf=sehen, sah, gesehen, to look up (to, zu).

hinauf=steigen, stieg, gestiegen, to step (climb) up, ascend.

hinauf=stolpern, to stumble (trip) upstairs.

hinaus', out, forth, ahead, along, beyond; zum Hause —, out of the house; — auf, in, out, into.

hinaus=führen, to lead (take) out.

hinaus=gehen, ging, gegangen, to go out, leave; to open upon *or* into.

hinaus=jagen, to chase (drive) out, expel.

hinaus=schwimmen, schwamm, geschwommen, to swim out *or* along.

hinaus=sehen, sah, gesehen, to look (see) out *or* over.

hinaus=treiben, trieb, getrieben, to drive out, expel.

hinaus=treten, trat, getreten, to step (walk) out.

hinaus=wandern, to walk along.

hinaus=werfen, warf, geworfen, to cast out, project over.

hinaus=ziehen, zog, gezogen, to draw (drag) out.

hin=blicken, to look over (to, toward, zu).

hindurch', through; zwischen —, through. [through.

hindurch=blitzen, to gleam

hindurch=klingen, klang, geklungen, to sound (be heard) through.

hinein', in, into (there).

hinein=dichten, to weave in, interweave.

hinein=gehen, ging, gegangen, to go (walk) into, enter; to join.

hinein=legen, to lay (put) in.

hinein=schreiben, schrieb, geschrieben, to write (pen) in.

hinein=sehen, sah, gesehen, to look into *or* on; mit —, to look in with some one.

hinein=steigen, stieg, gestiegen, to step (get) in.

hinein=treten, trat, getreten, to step in, enter.

hin=fließen, floß, geflossen, to flow (float) along *or* over, to spread.

hing . . . über, *see* über=hangen.

hin=gehen, ging, gegangen, to go away, pass.

hin'gewandt, *see* hin=wenden.

hin=legen, to lay down.

hin=sehen, sah, gesehen, to stare (gaze) at; vor sich —, to stare into vacancy *or* in the empty air.

hin=setzen (sich), to sit down.

hinter (*dat., accus.*), behind.

Hintergrund, *m.*, background.

Hinterhaus, *n.*, "er, rear of the house.

hinü'ber, over, across (there).

hinüber=blicken, to look over (to, zu).

hinüber=reichen, to reach (hand) over, offer, pass.

hinüber=rudern, to row across.

hinüber=sehen, sah, gesehen, to look over (to, zu).

hinüber=tragen, trug, getragen, to carry across.

hinun'ter, down (there).

hinunter=hangen (cf. hängen), hing, gehangen, to overhang.

hinweg', away, forth; über —, above.

hin=wenden (sich), wandte, gewandt, to turn (to, towards, nach).

Hir'tenkasper, Caspar (Jasper), the cow-herd (or cow-herd's boy).

höb . . . entge'gen, see entgegen=heben.

hoch (höher — höchst), high.

hoch'beinig, long-legged.

höchstens, at most, at best.

Hoch'zeit, f., wedding.

Hof, m., "e, yard, court; estate, farm.

Hofraum, m., court, yard.

Höhe, f., height; in die —, up; in die — heben, to raise, lift.

hohl, hollow.

holen, to get, fetch, obtain.

hol'lah! halloo!

Holzung, f., wood(s), forest.

Hop'fengarten, m., ", hop-garden, hop-ground.

horchen, to hearken, listen.

hören, to hear.

hört . . . an, see an=hören.

hörte . . . auf, see aufhören; hörte . . . zu, see zu=hören.

hübsch, pretty; — lassen, to be becoming, harmonize well.

Hülle, f., cover.

hüllen, to cover.

Hül'sendorn, m. (bot. Ilex aqui-folium), holly.

hun'dertjährig, hundred years old.

Hunger, m., hunger.

Hut, m., "e, hat.

J

ihm (dat.), to (for) him; ihn (accus.), him.

ihnen (dat.), to (for) them.

ihr, pers. pron., you (addressing children); to (for) her; poss. pron., her; der -e, hers.

Ihr, your.

im = in dem.

Im'mensee (lit. Bees' Lake), m., fictitious name of a lake somewhere in Southern Germany, and of the adjacent estate.

immer, always, ever; — entlang, straight along; — wieder, again and again; — nicht, never; — noch nicht, not (as) yet; — stärker, stronger and stronger; — weiter, further and further.

in (dat., accus.), in, with, for; into, to.

indem', while, whilst.

indes', meanwhile; conj., but, however.

Indien, n., India.

Inhalt, m., contents.

ins = in das.

Instrument', *n.*, (musical) instrument.

inzwischen, in the meantime, meanwhile.

J

ja, yes; (*explet.*) why, you know! indeed, truly; nay even, much more; —wohl, yes, indeed.

Jahr, *n.*, year; vor —en, years ago.

jauchzend, jubilant.

Jawort, *n.*, consent to marriage; er hat sich das — geholt, she has accepted him.

je, just, ever; — nach, just according to; — . . . desto, the . . . the (*with comparat.*), — näher . . . desto mehr, the nearer . . . the more.

jeder, jede, jedes, each, every; ein —, each one; every one; jedesmal, each time.

jedoch', however.

jemand, somebody, some one.

jener, jene, jenes, that; that one. [other side, beyond.

jenseits, (*genit.*, *adv.*,) on the

jetzt, now.

jubeln, to rejoice.

Jugend, *f.*, youth.

jung, young; Junge, die Jungen, young people.

Juni, *m.*, June.

Juwelier', *m.*, jeweler.

K

Kaffee, *m.*, coffee.

Kahn, *m.*, "e, row-boat.

kam . . . entge'gen, see entgegenkommen; kam . . . herauf, see herauf-kommen; kam . . . herein, see herein-kommen; kam . . . herunter, see herunterkommen; kam . . . vor, see vor-kommen; kam . . . wieder, see wieder-kommen; kam . . . zusammen, see zusammen-kommen; kam . . . zuvor, see zuvor-kommen.

Kamerad'schaft, *f.*, comradeship, friendship.

Kammer, *f.*, chamber, room; home.

kämpfen, to fight.

Kana'rienvogel, *m.*, ", canary.

Kar'renfuhrwerk, *n.*, cart.

Kartof'fel, *f.*, potato.

kaum, scarcely; nur —, just; schwamm —, just hovered.

kehrte . . . ab, see ab-kehren; kehrte . . . um, see um-kehren; kehrte . . . zurück, see zurückkehren.

kein, keine, kein, no, not any; none.

Kellerthür(e), *f.*, cellar-door.

Kellertreppe, *f.*, cellar-stairs.

Kellner, *m.*, waiter.

kennen, kannte, gekannt, to know.

Kessel, *m.*, boiler.

Kette, *f.*, chain.

Kind, *n.*, -er, child.

Kinderauge, *n.,* -ß, -n, childlike eye.

Kinderei', *f.,* childish thing, trifle.

Kinderstimme, *f.,* child's voice.

Kinn, *n.,* chin.

klage ... an, *see* an-klagen.

kläglich, lamentable, deplorable.

Klang ... hindurch', *see* hindurch=klingen.

klar, clear, bright; innocent.

Klasse, *f.,* class.

klatschen, to clap.

Kleid, *n.,* -er, dress; *pl.,* clothes.

kleidete ... an, *see* an-kleiden.

klein, small, little; die Kleine, little one.

klingeln, to sound, ring (*of bells*).

klingen, klang, geklungen, to sound, ring.

klug, knowing, judicious.

Knabe, *m.,* boy.

Knabenstimme, *f.,* boy's voice.

knallen, to sound, pop.

knicken, to break.

Knopf, *m.,* ᵘe, button; head (*of a stick*).

Knopfloch, *n.,* ᵘer, button-hole.

knüpfen, to tie.

knüpfte ... zusammen, *see* zu=sammen=knüpfen.

kochen, to cook, boil.

komisch, comical, funny.

komm ... herein', *see* herein=kommen; **komm ... wieder,** *see* wieder=kommen.

kommen, kam, gekommen, to come; to appear; to pass, get along; in die Schule —, to be placed at (be sent to) school.

kommt ... weiter, *see* weiter=kommen.

können (*pres. ind.,* kann, kannst, kann; können, etc.), konnte, gekonnt, can, to be able, may.

Kopf, *m.,* ᵘe, head, face.

Köpfchen, *n.,* little head.

Koral'le, *f.,* coral.

Korb, *m.,* ᵘe, basket.

kör'perlich, corporal, bodily.

korrigie'ren, to correct.

Kraft, *f.,* ᵘe, strength, force; so recht aus ᵘen, with all his might.

kräftig, strong, healthy.

Krähe, *f.,* crow.

krank, sick.

Kraut, *n.,* ᵘer, herb, plant; (*collectively*) plants.

Kreide, *f.,* chalk; crayon.

Kreis, *m.,* circle; im -e, round about.

kreischen, to screech, scream.

kreisen, to circle about.

Kreuz, *n.,* cross.

kreuzen, to cross.

Krone, *f.,* crown, top (of a tree).

Kröte, *f.,* toad.

krumm, crooked, bent; — ge=schlagen, crookedly driven.

Kuchen, *m.,* —, cake.

Küchengarten, *m.,* ᵘ, vegetable garden.

Kuck'uck, *m.,* cuckoo.

kühl, cool.

Kummer, *m.,* grief, sorrow.

künftig, future.

kurz, short.

Kutscher, *m.*, —, coachman.

L

lächeln, to smile; das L., smile; —d, with a smile.

lachen, to laugh, snicker; to call merrily; das L., laughing, laughter.

Läden, *m.*, ", shop, store.

Lampe, *f.*, lamp, light.

Land, *n.*, "er, land,' country, shore; auf dem —e, in the country.

ländlich, rural.

Land'partie, *f.*, excursion, picnic-party.

Landschaft, *f.*, landscape.

lang, long; —e, a long time; auf so —e, for so long a time; —e her, a long time since; "er, for a longer time.

langen, to reach.

langsam, slow.

langten . . . herauf, *see* herauf-langen.

lassen, ließ, gelassen, to let, cause, allow; von einander —, to become estranged, separate; stecken —, to give up, abandon; geschehen —, to allow to be done; neu aufsetzen —, to have rebuilt.

latei'nisch, Latin, scientific.

Laub, *n.*, foliage.

Laube, *f.*, arbor. bower.

Laubgang, *m.*, "e, leafy (arbored) walk, avenue.

Laub'gedränge, *n.*, mass (wealth) of foliage.

Laubgewölbe, *n.*, leafy canopy *or* dome.

Laubwand, *f.*, "e, leafy wall.

lauernd, watchful, searching.

laufen, lief, gelaufen, to run, hurry.

lauschen, to listen.

lauten, to sound; to read, run.

läuten, to ring, toll; es läutet, the bells are ringing.

lauter, pure; *adv.*, nothing but, so much (many).

Leben, *n.*, life.

leben, to live, reside; to be current; leb(e) wohl! farewell! good bye!

Lebewohl', *n.*, farewell!

legen, to lay, put, place; sich —, to lie down, stretch; to descend.

legte . . . darauf, *see* darauf-legen; **legte . . . hin,** *see* hin-legen.

lehnen, to lean. [legen.

Lehnstuhl, *m.*, "e, arm-chair.

Lehre, *f.*, teaching, lesson, warning.

lehrhaft, teachable, docile.

leicht, light, graceful; easy, ready; sie wird — verdrießlich, she is apt to grow vexed.

Leid, *n.*, grief, sorrow.

leiden, litt, gelitten, to suffer, allow, permit; das L., suffering, sorrow.

leidenschaftlich, passionate, deep.

leis (leise), soft, low; in an undertone, with a low voice, gently.

lenken, to direct; to call (to, auf).

Lerche, *f.,* lark.

lernen, to learn, study.

lesen, las, gelesen, to read; beim L., while reading.

letzt, last, past; der —ere, the latter.

leuchten, to hold the light (for one, *dat.*); –d, beaming.

Leute, *pl.,* people, men.

Licht, *n.,* -er, light, candle, lamp.

licht, clear, bright.

Lichtschimmer, *m.,* glare of light.

Lichtung, *f.,* clearing, glade.

lieb, beloved, dear, charming; — haben, to love.

Liebchen, *n.,* darling, sweetheart.

lieb'kosen, to caress, fondle; to love.

lieblich, lovely, charming.

Lieb'lichkeit, *f.,* loveliness, charm.

Lieb'lingskraut, *n.,* "er, favorite plant.

Lied, *n.,* -er, lay, song, ballad.

liegen, lag, gelegen, to lie, rest, be situated, be.

ließ . . . los, see los=lassen.

Li'lie, *f.,* lily.

Linde, *f.,* linden.

link, left; die L-e, left hand; links (zur L-en), on (to) the left.

Lippe, *f.,* lip.

Locke, *f.,* lock, curl, tress.

Los, *n.,* lot, prize; das große —, first prize (*in the state-lottery*).

los, loose, free.

los=binden, band, gebunden, to unfasten.

los=lassen, ließ, gelassen, to let go, set free.

Löwe, *m.,* lion.

Lücke, *f.,* aperture, opening.

Luft, *f.,* "e, air; in den "en, high up in the air.

Lumpen, *m.,* rag, tatter

Lust, *f.,* desire.

lustig, merry, jolly.

M

machen, to make, render, give, cause.

machte . . . auf, see auf=machen; **machte . . . zu,** see zu=machen.

mächtig, mighty, large.

Mädchen, *n.,* girl.

mäd'chenhaft, girlish.

Mäd'chenstimme, *f.,* girl's voice.

Maiblume, *f.,* lily of the valley.

Mai'blumenstengel, *m.,* (stem; stalk) specimen of a lily of the valley.

Mal (mal), *n.,* time; jedes Mal, see jedesmal; zum ersten Mal see erstenmal.

Malve, *f.,* mallow.

man, one, they, people, some one; *or trans. by passive voice.*

manch, many; —er, many a (one); —es, many a thing.

manch'mal, sometimes, at times.

Mann, *m.,* "er, man, gentleman.

Manuſkript', *n.,* manuscript.

Märchen, *n.,* fairy tale, story.

Marder, *m.,* —, marten.

marſchie'ren, to march, walk.

mäßig, moderate; — groß, medium sized.

matt, dim, faint.

Mauer, *f.,* wall.

Mau'erpfeiler, *m.,* pillar inserted in a wall, pilaster.

mehr, more, longer; lange nicht —, not for a long time.

meh'rere, several.

mein, meine, mein, my, my own.

meinen, to mean, think; to remark.

Meinung, *f.,* opinion; derſelben (*gen.*) — ſein, to agree with one.

meiſt, most; am —en, mostly; die —en, most of the . . .

Melodie', *f.,* melody, air.

Menſch, *m.,* —en, —en, mar., person, mortal; —en, mankind; kein —, no one, not a soul; der fremde —, stranger.

merken, to mark, bear in mind.

mich, me.

minder, less.

mir, (to, for) me.

mit (*dat.*), with; *adv.,* jointly (along *or* together) with some one else.

mit-helfen, half, geholfen, to lend help, assist (in, bei); als ob wir alle mitgeholfen hätten, as if we all had helped to make (*or* write) them.

Mittag, *m.,* —e, midday, noon.

Mit'tagshitze, *f.,* heat of midday.

Mit'tagsſtille, *f.,* midday stillness.

Mitte, *f.,* middle, center.

mit-teilen, to tell, communicate.

Mit'teilung, *f.,* communication, reading.

mitten (in), in the midst of.

mittlerwei'le, in the meantime.

mitun'ter, at times, once in a while.

Mode, *f.,* fashion, style.

mögen (*pres. ind.,* mag, magſt, mag; mögen, etc.), mochte, gemocht, may, to like, wish, want, care, will, be about.

möglich, possible; wo (= wenn) —, if possible.

Mo'nat, *m.,* —e, month.

Mond, *m.,* —e, moon.

Mon'desdämmerung, *f.,* pale moonlight.

Mondlicht, *n.,* moonlight.

Mondſtrahl, *m.,* —es, —en, moon- [beam.

mora'liſch, moral(izing).

Morgen, *m.,* —, morning.

morgen, to-morrow.

Mor'gendämmerung, *f.,* morning dawn.

Morgenlicht, *n.,* morning light.

müde, tired, exhausted.

Mund, *m.,* mouth; es geht von — zu —, it passes from one to the other.

müssen (*pres. ind.,* muß, mußt, muß; müssen, etc.), mußte, gemußt, must, to have to, be obliged to.

Muße, *f.,* leisure.

müßig, idle.

Müßiggänger, *m.,* —, idler.

Mutter, *f.,* "er, mother.

Mütze, *f.,* (student's) cap.

n

nach (*dat.*), after, behind; zo, towards; in, according to; — allen Seiten, in every direction; *adv.,* — und —, gradually.

nachdem', *conj.,* after.

nachdenklich, thoughtful, wistful.

nach-gehen, ging, gegangen, to go after, follow.

nachher', after this, afterwards, later.

Nach'mittag, *m.,* -e, afternoon; nachmittags, in the afternoon.

Nach'mittagsstille, *f.,* stillness of the afternoon.

Nachspiel, *n.,* finale.

nächst, next, nearest.

Nacht, *f.,* "e, night; in der —, nachts, by night.

Nachthimmel, *m.,* night sky.

Nach'tigall, *f.,* nightingale.

Nachtisch, *m.,* dessert.

Nacht'schmetterling, *m.,* night butterfly, moth.

Nachttau, *m.,* night dew.

Nach'zügler, *m.,* straggler.

nackt, naked, bare.

Nadel, *f.,* needle; leaf of a pine.

Nägel, *m.,* ", nail.

nahe (näher, nächst), near, near by; — gelegen, neighboring, adjacent; je "er, the nearer.

Nähe, *f.,* neighborhood.

Näherei', *f.,* sewing.

Nä'herkommen, *n.,* coming nearer, approach; beim —, on approaching.

nähern (sich), to approach.

nahm ... auf, *see* auf-nehmen; **nahm ... heraus,** *see* herausnehmen; **nahm ... herunter,** *see* herunter-nehmen.

Nähtisch, *m.,* sewing table.

Name(n), *m.,* Namens, —, name.

namentlich, especially, particularly.

neben (*dat., accus.*), next to, beside; along by the side of.

nebenan', in the adjoining room.

ne'bengehend, walking at the side.

Ne'benzimmer, *n.,* adjoining room.

nehmen, nahm, genommen, to take, accept; to marry.

nein, no.

nennen, nannte, genannt, to name, call; to state.

Netz, n., net(work).

neu, new.

neulich, lately, the other day; von —, of a recent date; collected the last time.

nicht, not; auch —, neither; gar —, not at all; noch —, not yet.

nichts, nothing; auch —, not anything either.

nicken, to nod.

nie, never.

nieder, down; auf und —, up and down; auf . . . —, down to . . .

nie´der=hängen (for =hangen), to hang down, droop.

nie´der=lassen (sich), ließ, gelassen, to descend, lower.

nie´der=schlagen, schlug, geschlagen, to cast down.

nie´der=sehen, sah, gesehen, to look down (upon, auf).

nie´mand, no one, nobody.

nimmer, never.

noch, yet, still; more, besides, else; — einmal´, once more; — nicht, not yet; was —? what else?

Note, f., note (of music).

nötig, needy, necessary.

not´wendig, necessary.

nun, now, since; well!

nur, only, merely, (nothing) but; only that; please! just; — so eine, just a . . .

O

ob, if, whether.

oben, above; — im Hause, up- ober, upper. · [stairs.

O´berfläche, f., surface.

obgleich´, although.

Obst´baum, m., ⁀e, fruit-tree.

oder, or.

Ofen, m., ⁀, stove.

offen, open, opened.

öffnen, to open; sich —, to open (intrans.), be opened up.

oft, often, frequently.

ohne (accus.), without; — zu ver- ändern, without changing.

Ohr, n., -es, -en, ear; sich etwas hinter die -en schreiben, to note a thing; to store or treasure something up in one's mind.

ordnen, to order, arrange, classify.

Ordnung, f., order, subdivision.

Ost = Osten, m., East.

O´stermärchen, n., Easter tale.

O´stern (sing.), n., Ostern (pl.), f., Easter, Easter vacation.

P

paarweise, by pairs, in couples, two by two.

Päckchen, n., small package or bundle.

Paket´, n., packet, parcel.

Papier´, n., paper, manuscript.

Papier´rolle, f., paper-roll.

Pause, *f.*, pause, lull (in the conversation).

peinlich, painful, tormenting.

Pergament´band, *m.*, "e, copy book bound in parchment.

Person´, *f.*, person.

Pfad, *m.*, -e, path.

Pfeife, *f.*, pipe; fife, whistle.

Pferd, *n.*, horse.

Pflanze, *f.*, plant, herb.

pflegen, to be wont (accustomed, in the habit).

pflücken, to pluck, pick.

pfui! fie! shame on you!

picken, to pick, peck.

Plänchen, *n.*, little plan (scheme, plot).

Platz, *m.*, "e, (open) place, room; freier —, clearing, glade; — machen, to give place.

plötzlich, sudden.

Porzellan´vase, *f.*, china vase.

Postwagen, *m.*, —, stage-coach.

prächtig, magnificent, splendid.

Proviant´korb, *m.*, "e, provision-basket.

Proviant´meister, *m.*, master of provisions, commissary, steward.

Pult, *n.*, -e, desk.   [ard.

Punkt, *m.*, -e, point.

Q

quer, diagonally; — gegenüber, just opposite.

quirlen, to whirl.

quirlten . . . zusammen, *see* zu-sammen=quirlen.

R

Rache, *f.*, revenge, vengeance.

Rad, *n.*, "er, wheel; das — tre-ten, to turn the wheel with one's foot.

Rahmen, *m.*, —, frame.

Rand, *m.*, "er, edge, border.

Ranke, *f.*, vine, creeper.

ranken (sich), to twine, twist (round, an).

rasch, quick, fast; –es Tempo, "allegro."

Rä´senstück, *n.*, (piece of) sod *or* turf.

räten, riet, geraten, to guess.

rät´selhaft, mysterious.

Raum, *m.*, "e, room, space, va-cancy.

Rechentafel, *f.*, slate.

recht, right; correct; *adv.*, wholly, entirely, very; –s, to (on) the right.

recken, to stretch.

reckten . . . aus, *see* aus=recken.

Rede, *f.*, talk, discourse.

reden, to talk, speak.

redete . . . zu, *see* zu=reden.

Regen, *m.*, rain.

regen, to move, stir.

reiben, rieb, gerieben, to rub.

reichen, to reach, hand, extend; sich die Hände —, to shake hands.

Reim, *m.*, rhyme; maxim in rhyme.

reimen, to rhyme, make harmo-nize, understand.

Reinhard, Reinhard, Reynard.

Reis, *n.*, -er, sprig, twig.

Reise, *f.*, travel, trip.

reisen, to travel, go, depart; der R-de, traveler; *pl.*, party.

Rest, *m.*, rest, remainder.

retten, to save.

Richtung, *f.*, direction.

riechen, roch, gerochen, to smell (of, nach).

rief ... aus, *see* aus-rufen; rief ... entgegen, *see* entgegen-rufen; rief ... zu, *see* zu-rufen; rief ... zurück, *see* zurück-rufen.

rieseln, to drizzle.

Ringelchen, *n.*, ringlet; small ring-shaped seed.

ringförmig, ring-shaped, annular.

rings; ringsum', all around; rings ... umher, all around, round about.

Rohrstock, *m.*, "e, cane.

rollen, to roll.

rollte ... auf, *see* auf-rollen; rollte ... zusammen, *see* zusammen-rollen.

rot, red.

rotseiden, red silk.

Rücken, *m.*, back.

rücken, to move, touch, push; weiter —, to advance, proceed.

Rückkehr, *f.*, return.

rückte ... heran, *see* heran-rücken.

rückwärts, backward, back.

Rückweg, *m.*, way home, return.

rudern, to row; beim R-, while rowing.

ruderte ... hinüber, *see* hinüber-rudern.

rufen, rief, gerufen, to call, cry, shout, halloo.

Ruhe, *f.*, rest.

ruhen, to rest, lie dormant.

ruhig, quiet, calm.

Rundhut, *m.*, "e, round *or* slouch hat.

runzeln, to wrinkle.

rüsten, to prepare; die Tafel —, to lay the cloth.

rüstig, brisk.

S

Saal, *m.*, Säle, hall.

sagen, to say, tell.

sah ... an, *see* an-sehen; sah ... auf, *see* auf-sehen; sah ... hinauf, *see* hinauf-sehen; sah ... hinein, *see* hinein-sehen; sah ... hinüber, *see* hinüber-sehen; sah ... nieder, *see* nieder-sehen; sah ... vorbei, *see* vorbei-sehen.

Samen, *m.*, —, seed.

sammeln, to gather.

Samtkissen, *n.*, velvet cushion.

sämtlich, complete.

sanft, gentle, tender.

saßen ... zusammen, *see* zusammen-sitzen.

sauber, neat.

Saum, *m.*, "e, seam, edge, border.

säuseln, to rustle.

schälen, to peel, pare.

Schall, *m.*, sound.

Schar, *f.*, troop.

scharf, sharp.

Schatten, *m.*, —, shade, shadow.

schattig, shady.

Schatul'le, *f.*, casket; bureau.

Schatz, *m.*, "e, treasure.

schaudern, to shudder.

schauen, to look, behold.

schauern, to shudder, tremble.

schaukeln, to rock, swing.

schaut . . . darein, *see* darein-schauen.

Schein, *m.*, shine, light, glow.

scheinen, schien, geschienen, to shine; to seem, appear.

schelmisch, roguish.

schelten, schalt, gescholten, to scold, reprove.

schenken, to give, present.

Sche'renschleiferkarren, *m.*, —, cart of a scissors-grinder.

scheu, shy, timid, bashful.

scheuen (sich), to shun, shrink from, be afraid of.

schicken, to send.

schießen, schoß, geschossen, to shoot.

Schimmer, *m.*, glimmer, faint light.

schimmern, to glitter, gleam.

Schlaf, *m.*, sleep.

schlafen, schlief, geschlafen, to sleep; to lie dormant.

schlagen, schlug, geschlagen, to strike, beat, drive; to sing, warble (*of birds*).

schlank, slender.

schlicht, plain, simple.

schließen, schloß, geschlossen, to close, form; to obstruct.

schloß . . . auf, *see* auf-schließen.

schluchzen, to sob.

schlug . . . entgegen, *see* entgegen-schlagen; schlug . . . nieder, *see* nieder-schlagen.

schlummerlos, sleepless, wakeful.

Schlüsselkörbchen, *n.*, key-basket.

schmächtig, slender.

schmal, small, little, slender.

Schmerz, *m.*, -es, -en, pain, grief.

Schnallenschuh, *m.*, -e, buckle-shoe.

schnaufen, to pant.

schnee'weiß, snow-white.

schneiden, schnitt, geschnitten, to cut.

Schneidergeselle, *m.*, -n, -n, (journeyman) tailor.

schnell, fast, quick.

schnurren, to hum.

schob . . . zurück, *see* zurück-schieben.

schon, already, soon, by and by; no doubt, sure enough.

schön, beautiful, graceful, buoyant; pleasant, delightful.

Schornstein, *m.*, chimney.

schossen . . . vorüber, *see* vorüber-schießen.

Schoß, *m.,* ̈e, lap, knees.

Schrank, *m.,* ̈e, case, cabinet.

schreiben, schrieb, geschrieben, to write.

schreiten, schritt, geschritten, to walk, pace.

schrieb . . . auf, *see* auf=schrei=ben.

Schritt, *m.,* step, pace, walk.

schritt . . . hinab, *see* hinab=schrei=ten.

Schubfach, *n.,* ̈er, drawer.

schuldig, indebted; — sein, to owe.

Schule, *f.,* school.

Schul'kamerad, *m.,* –en, –en, class-mate.

Schul'lehrer = Schulmeister, *m.,* school-teacher.

schüren, to stir, poke.

schürte . . . an, *see* an=schüren.

Schürze, *f.,* apron.

Schüssel, *f.,* bowl, dish.

schütteln, to shake.

schütten, to pour, empty.

Schutz, *m.,* shelter.

Schützling, *m.,* charge, client.

schwamm . . . fort, *see* fort=schwimmen; **schwamm . . . hinaus,** *see* hinaus=schwimmen; **schwamm . . . umher,** *see* um=her=schwimmen.

schwanken, to stagger.

schwankte . . . herauf, *see* herauf=schwanken.

Schwarm, *m.,* ̈e, swarm; troop, throng.

schwarz, black, dark.

schweigen, schwieg, geschwiegen, to be silent; –d, silent, without a word.

schwenken, to wave; sich —, to wheel about, swing.

schwer, heavy, difficult.

schwer'fällig, heavy, massive.

schwesterlich, sisterly.

schwimmen, schwamm, geschwom=men, to swim, float, drift; to hover; to tower up, rise.

schwirren, to whiz, buzz.

schwül, close, sultry; hazy.

See, *m.,* –en, lake.

sehen, sah, gesehen, to see, look, gaze, peep.

sehr, very (much).

1. **sein,** seine, sein, his; der –e, –ige, his (own).

2. **sein** (*pres. ind.,* bin, bist, ist; sind, seid, sind), war, gewesen, to be; to take place.

seit (*dat.*), since, during, for.

seitdem', since, since then.

Seite, *f.,* side, direction; page (*of a book*); bei Seite (= bei=seite), aside; nach allen –n, in every direction.

Seitengang, *m.,* ̈e, by-way, side-passage *or* corridor.

sekundie'ren, to second, accom=pany.

selber = selbst, –self, –selves.

selig, late, deceased, blessed in heaven.

seltsam, strange, odd.

senken, to sink, bend, droop.

servie'ren, to serve.

ſetzen, to set, put, place; ſich —, to sit down.

ſetzte . . . fort, *see* fort=ſetzen; **ſetzte . . . hin,** *see* hin=ſetzen.

ſich, him–, her–, itself; them–, yourselves; (*recipr.*) each (one) another.

ſichtbar, visible.

ſie, she; they (them); **Sie,** you.

ſieben, seven.

ſiehſt . . . aus, *see* aus=ſehen.

Sil′bermünze, *f.,* silver coin.

ſilbern, silvery.

ſingen, ſang, geſungen, to sing, chant.

ſinken, ſank, geſunken, to sink, drop.

Sinn, *m.,* mind; durch den — gehen, to pass *or* flit through one's mind.

ſitzen, ſaß, geſeſſen, to sit, be seated; to sit to a painter (for one's picture).

ſo, so, thus, then, so to speak, in this (such a) manner; –bald (ſobald), as soon as; –bald nicht, not for some time.

ſobald′, *see* ſo.

ſolch (ein), such (a).

ſolid′, solid, genuine.

ſollen, shall, must, to have *or* to be to.

Sommer, *m.,* —, summer; ſom= mers, in (the) summer.

Som′merabend, *m.,* –e, summer evening.

Som′mernacht, *f.,* ⁿe, summer night.

ſon′derbar, peculiar, strange.

ſondern, but.

Sonne, *f.,* sun, sun-light.

ſon′nenbeſchienen, sun-lit.

ſonnenheiß, heated by the sun.

Sonnenſchein, *m.,* sun-light.

Sonnenſtrahl, *m.,* –en, sun-beam.

Son′nenuntergang, *m.,* ⁿe, sun-set.

ſonnig, sunny.

Sonntag, *m.,* –e, Sunday.

ſonſt, formerly; ever, at all; else, otherwise.

ſorg′fältig = ſorgſam, careful.

ſpannen, to hitch, attach.

ſpärſam, scanty; thinly, in a few numbers.

ſpät, late; du kommſt zu —, you will be late.

Spät′herbſtnach′mittag, *m.,* –e, afternoon late in autumn.

ſpazie′ren, to step, stalk, strut.

Spazier′gang, *m.,* ⁿe, walk (*for pleasure*).

ſpazier′te . . . umher′, *see* um-her=ſpazieren.

Specht, *m.,* woodpecker.

Sperling, *m.,* sparrow.

Spiegel, *m.,* looking-glass.

Spie′gelbild, *n.,* –er, reflected image, reflection.

ſpielen, to play. [spin.

ſpinnen, ſpann, geſponnen, to

Spin′nengewebe, *n.,* cobweb.

Spinnrad, *n.,* ⁿer, spinning-wheel.

Spitze, *f.*, top.

sprang . . . auf, *see* auf=springen.

sprechen, sprach, gesprochen, to speak, utter.

springen, sprang, gesprungen, to spring, leap, run.

Stadt, *f.*, "e, town.

stählblau, steel-blue, steel-colored.

stammeln, to stammer, hesitate.

Stand, *m.*, "e, state, order; zu -e (zustande) bringen, to accomplish, finish.

stand . . . auf, *see* auf=stehen; stand . . . still, *see* still=stehen.

stark, strong.

starr, rigid; — sehen, to stare.

starrte . . . an, *see* an=starren.

Station' (*pronounce* statzion'), *f.*, station.

Statt, *f.*, "e, stead, place; zu statten kommen, to come opportunely.

statt (= anstatt, *genit.*), instead of.

stattlich, stately, sightly.

Staude, *f.*, bush, shrub.

staunen, to be amazed *or* surprised; –d, with surprise *or* astonishment.

stecken, to stick, be hidden; — lassen, to give up.

stehen, stand, gestanden, to stand, stay; to hover, poise one's self; to grow, be; — bleiben, to stand still, stop.

stehlen, stahl, gestohlen, to steal.

steigen, stieg, gestiegen, to step, walk, climb.

steil, steep, precipitous; straight.

Stein, *m.*, stone.

Steinwurf, *m.*, stone's throw.

Stelle, *f.*, spot, place.

stellen, to put, place.

Stellung, *f.*, position.

Stengel, *m.*, stalk, stem.

sterben, starb, gestorben, to die.

sticken, to embroider.

stieg . . . auf, *see* auf=steigen; stieg . . . hinab, *see* hinab=steigen; stieg . . . hinauf, *see* hinauf=steigen; stieg . . . hinein, *see* hinein=steigen.

still, still, quiet, peaceful; silent, secret; —! hush! — stehen, to stand still, stop, falter.

still'schweigend, silent; without a word.

Stimme, *f.*, voice.

stimme . . . an, *see* an=stimmen.

Stirn(e), *f.*, forehead.

Stock, *m.*, "e, stick, cane.

stolpern, to stumble.

stolperte . . . hinauf, *see* hinauf=stolpern.

Stolz, *m.*, pride.

Storch, *m.*, "e, stork.

stören, to disturb, interrupt.

stoßen, stieß, gestoßen, to kick, push, strike.

Sträße, *f.*, street; auf die —, to the street.

Strä'ßenecke, *f.*, street corner.

sträuben, to bristle.

Strauch, *m.*, "er, shrub, bush.

strecken, to stretch; sich —, to stretch, extend.

streckte . . . aus, see aus=strecken; streckte . . . entgegen, see entgegen=strecken.

streichen, strich, gestrichen, to stroke, push, run one's hand.

Streif, m., stripe, streak.

streifen, to glide over, brush by, scan.

Ströhhut, m., "e, straw-hat.

Ströhmatte, f., straw-mat.

Ström, m., "e, stream, current.

Stübe, f., room.

Stübenthür(e), f., door (of a room).

Student', m., -en, -en, student, collegian.

Studen'tentisch, m., students' table.

Stü'dium, n., Studien, study.

Stuhl, m., "e, chair.

stumm, silent, without a word.

Stunde, f., hour.

stun'denlang, an hour's distance; adv., for hours.

stützen, to lean, rest.

suchen, to seek, look for; to try, endeavor.

südlich, southern, of Southern Germany.

summen, to hum.

Sünde, f., sin.

sündhaft, sinful, wicked.

surren, to buzz, whir.

süß, sweet.

Syrin'genbaum, m., "e (bot. Syringa vulgaris), lilac-tree.

T

Tāfel, f., (dinner-)table; = Schiefertafel, slate; die — rüsten, to lay the cloth.

Tāg, m., -e, day; eines -es, one day (adv.); — für —, day after day.

Tāgewerk, n., day's work.

Tan'nenbaum, m., "e, pine (Christmas) tree.

Tan'nendunkel, n., gloom of the pine-wood(s).

Tan'nengehölz, n., pine-(fir-) grove.

Tante, f., aunt.

tappen, to grope, feel for.

Tasche, f., pocket; in die — greifen, to put one's hand into his pocket (for money).

Taube, f., dove.

taufen, to christen.

taugen, to be good; nichts to be good for nothing.

Tauperle, f., dew drop.

tau'sendmal, thousand times.

teilen, to divide, share.

teil'nahmlos, indifferent.

Tem'po, n., -s, -s, "tempo," time; rasches —, "allegro."

Tĕnŏr', m., -s, -e, tenor.

Terras'se, f., terrace.

Thāl, n., "er, valley.

thāt, see thun.

Thräne, f., tear.

thun, that, gethan, to do, make; to pretend.

Thūn, n., doing(s), actions.

Thür(e), *f.,* door; zur — herein=
kommen, to enter through the
door.

Thürglocke, *f.,* door-bell.

Thürklinke, *f.,* door-latch, door-
handle.

Thy'mian, *m.* (bot. *Thymus Ser-
pyllum*), thyme.

tief, deep, far, extended.

Tiefe, *f.,* deep, depth; aus der
— herauf, from below.

Tisch, *m.,* table.

Tod, *m.,* death.

tot, dead, lifeless.

tragen, trug, getragen, to carry,
bear, wear; to hold up.

traten . . . an, *see* an=treten;
traten . . . auseinander, *see*
auseinander=treten; **traten . . .
herein,** *see* herein=treten; **traten . . . hinaus,** *see* hinaus=
träumerisch, dreamy. [treten.

traurig, sad.

treffen, traf, getroffen, to hit; to
meet, find.

treiben, trieb, getrieben, to drive.

treibt . . . heim, *see* heim=treiben.

Treppe, *f.,* staircase, stairs.

Trep'pengeländer, *n.,* railing,
stair-rail.

treten, trat, getreten, to tread,
step, walk, pass; er trat das
Rad, he turned the wheel
with his foot; ein kleines
Mädchen trat zu ihm, a little
girl appeared to him.

trieben . . . hinaus', *see* hinaus=
treiben.

trinken, trank, getrunken, to
drink.

Tritt, *m.,* step, course, run.

trocken, dry.

trocknen, to dry, press (botanical
specimens).

Tropfen, *m.,* —, drop.

trotz (*genit.*), in spite of.

trotzig, defiant, stubborn.

trug . . . entgegen, *see* entgegen=
tragen; **trug . . . hinüber,** *see*
hinüber=tragen.

Tuch, *n.,* ᵘer, cloth, kerchief,
handkerchief.

Tü'chelchen, *n.,* little kerchief,
necktie.

u

üben, to exercise; to test, try.

über (*dat., accus.*), over, above;
across, on, of, about, regarding; — hinweg, over.

überall' (ü'berall), all over, everywhere.

überdies', besides, moreover.

U'berfahrt, *f.,* passing-over,
crossing.

überfal'len, überfiel, überfallen,
to fall upon, seize.

ü'ber=hängen (for =hangen, hing,
gehangen), to overhang, reach
or jut over.

überrasch'en, to surprise, overtake.

Überrasch'ung, *f.,* surprise.

U'berrock, *m.,* ᵘe, over-coat;
frock-coat.

Ü'berſchrift, *f.*, title, headline.

überzie'hen, überzog, überzogen, to spread over, cover.

überzwei'gen, to cover with branches.

Ufer, *n.*, —, bank, shore.

U'ferrand, *m.*, "er, edge of the shore.

U'ferſeite, *f.*, side of the lake (-shore).

Uhr, *f.*, -en, clock; hour.

um (*accus.*), around, about; at, by; — . . . her, — . . . herum, round about; *conj.*, — zu, to, in order to.

um'=blicken (ſich), to look back.

umge'ben, umgáb, umgében, to surround, encircle.

Um'gegend, *f.*, surrounding country, neighborhood.

umher', around, about.

umher'=liegen, lag, gelegen, to lie around.

umher'=ſchwimmen, ſchwamm, geſchwommen, to swim about.

umher'=ſehen, ſah, geſehen, to look around. [about.

umher'=ſpazieren, to walk (stalk)

umher'=treiben (ſich), trieb, ge= trieben, to roam about.

um'=kehren, to turn over; ſich —, to turn around.

um'=wenden, wandte, gewandt, to turn over; ſich —, to turn around.

Um'zug, *m.*, "e, procession.

un'bekannt, unknown, unfamiliar.

unberührt', untouched, intact.

unbeweg'lich, motionless.

undurchdring'lich, impenetrable.

unerbitt'lich, inexorable, irresist

unerwar'tet, unexpected. [ible.

un'geſchickt, awkward, unskilled

un'gewiß, uncertain, indistinct.

un'gewohnt, unaccustomed.

un'heimlich, uncomfortable, weird.

Univerſitäts'leben, *n.*, university life; academic studies.

unmerk'lich, imperceptible, slight.

uns, us, to (for) us; *refl.*, ourselves; *reciproc.*, each other, one another.

unſer, unſere, unſer, our.

un'ſichtbar, invisible.

unten, below; in the basement; at the foot of the hill.

unter (*dat., accus.*), under, beneath.

unterblei'ben, unterblieb, unterblieben, to be left undone.

Unterhal'tung, *f.*, amusement; conversation.

unterm = unter dem.

Unterneh'men, *n.*, enterprise, venture.

unterrich'ten, to instruct.

unterſchei'den, unterſchied, unterſchieden, to distinguish.

unverhofft', unexpected.

unwillkür'lich, involuntary.

ur'alt, very old, primeval.

Ur'ton, *m.*, "e, primitive sound, sound (voice) of nature.

o

Vater, *m.*, *̈*, father.

Vaterstadt, *f.*, *̈e*, native town.

verän'dern, to change.

Verän'derung, *f.*, change.

Veran'lassung, *f.*, cause, motive, inspiration (of, zu).

veran'stalten, to arrange.

verdeck'en, to cover, muffle, soften; **verdeckte Altstimme,** mellow (contr)alto.

verdrän'gen, to drive away, supplant.

verdrieß'lich, vexed, angry; **sie wird leicht —,** she is apt to grow angry.

verfas'sen, to compose, write.

verge'bens, in vain.

vergeb'lich, vain, idle.

verge'hen, verging, vergangen, to pass away.

verges'sen, vergaß, vergessen, to forget.

verglei'chen, verglich, verglichen, to compare.

vergnügt', happy, cheerful.

vergol'det, gilded.

verir'ren (sich), to go astray, swerve (from the path of duty); **verirrt,** roving, wild, disordered.

Verkehr', *m.*, intercourse, friendship.

verkla'gen, to accuse, complain (of some one to, bei).

verlas'sen, verließ, verlassen, to leave.

verle'ben, to spend, pass.

verlie'ren, verlor, verloren, to lose.

vermeh'ren, to enlarge, enrich.

verra'ten, verriet, verraten, to betray, tell.

verrin'nen, verrann, verronnen, to pass (away).

Vers, *m.*, verse.

versa'gen, to forbid, deny.

versam'meln, to assemble.

verschaf'fen, to procure, supply.

verschrei'ben, verschrieb, verschrieben, to write for, invite.

verschwei'gen, verschwieg, verschwiegen, to conceal (from one, *dat.*).

verschwin'den, verschwand, verschwunden, to disappear, die away.

versin'ken, versank, versunken, to sink from sight, disappear.

verspre'chen, versprach, versprochen, to promise; to bid fair (to become).

verstän'dig, sensible.

verste'hen, verstand, verstanden, to understand.

verstört', wild, agitated; (= verkommen) faded.

verstrick'en, to entangle.

verstum'men, to become silent, die away.

versuchen, to try. [for.

vertei'digen, to defend, stand up

vertie'fen (sich), to engage one's self deeply.

vertrau'lich, familiar, amorous.

verwan′deln (fich), to change, be transformed.

verwel′ken, to wither, dry.

verzie′hen (fich), verzog, verzogen, to change (into, zu); to dissolve.

viel; viele, much; many.

vielleicht′, perhaps.

Vierteljahr′, n., quarter of a year; three months. [hour.

Viertelstun′de, f., quarter of an

Vogel, m., ″, bird; "chick."

Vo′gelbauer, m., n., —, birdcage.

Volk, n., ″er, people; im —e, among the people.

Volkslied, n., –er, a song which has originated among the people; folk-song, ballad.

voll, full, filled (with, von); ganz und —, wholly and entirely.

völlig, entire; altogether, quite.

vom = von dem.

von (dat.), of, from, about; by (with pass. voice).

vor (dat., accus.), place: before, in front of, out of; time: before, ago, prior to; — Jahren, years ago; — fich hinfehen, to gaze into vacancy.

voran′=gehen, ging, gegangen, to go first, take the lead.

vorbei′, past, by; an ihm —, past him.

vorbei′=führen, to lead past.

vorbei′=fehen, fah, gefehen, to look past.

Vor′bereitung, f., preparation.

Vor′hang, m., ″∘, curtain.

vorher′, before (this), prior to this.

vo′rig, former, last.

vor′=kommen (fich), kam, gekommen, to think one's self, appear to one's self.

vor′=lefen, las, gelefen, to read aloud (to one, dat.).

Vor′mittag, m., -e, forenoon.

vor′nehm, distinguished.

Vor′fchein, m., appearance; zum — kommen, to come forth, appear.

vor′=fpringen, fprang, gefprungen, to project, jut out.

Vor′trag, m., ″e, lecture; lesson.

vorü′ber, past, by, gone.

vorü′ber=fahren, fuhr, gefahren, to drive past.

vorü′ber=gehen, ging, gegangen, to pass by; der B–de, passerby; vorübergegangen, past, old.

vorü′ber=fchießen, fchoß, gefchoffen, to shoot (fly) past.

vor′wärts, forward, ahead, on.

W

Wachol′derbufch, m., ″e, juniper bush.

wachfen, wuchs, gewachfen, to grow, thrive, come up.

Wagen, m., —, wagon, chariot, stage-coach; zu —, by wagon.

Wa′genpferd, n., carriage horse.

während (*genit.*), during; *conj.*, while; — deſſen, in the meantime.

Wald, *m.*, ᵘer, wood(s), forest.

Waldblume, *f.*, wood-flower.

Waldesgrund, *m.*, ᵘe, depth of the forest.

Wal'deskönigin, *f.*, -nen, forest-queen.

Waldvogel, *m.*, ᵘ, wood-bird.

Waldweg, *m.*, road through the woods.

Wall, *m.*, ᵘe, wall, dam, dike.

Wand, *f.*, ᵘe, wall.

wandelte . . . an, *see* an-wandeln.

Wanderer, *m.*, —, wanderer, traveler on foot.

wandern, to wander, walk.

wanderte . . . hinaus, *see* hinaus-wandern.

Wanderung, *f.*, walking, walking-tour.

wandte . . . ab, *see* ab-wenden; **wandte . . . hin**, *see* hin-wenden; **wandte . . . um**, *see* um-wenden.

Wange, *f.*, cheek.

wann? when? dann und —, now and then.

warf . . . ab, *see* ab-werfen; **warf . . . auf**, *see* auf-werfen; **warf . . . herum**, *see* herum-werfen; **warfen . . . hinaus**, *see* hinaus-werfen; **warf . . . zurück**, *see* zurück-werfen.

warm, warm.

warten, to wait; to attend to.

warum'? why?

was, (that) what; what? how?

Wäſche, *f.*, linen.

Waſſer, *n.*, water; lake.

Waſ'ſerlilie, *f.* (bot. *Nymphæa alba*), water-lily.

Wecke, *f.*, roll, biscuit.

Wēg, *m.*, way, road, journey; distance; am -e, by the roadside; auf halbem -e, half-way.

wĕg, away, off, gone.

wĕg=gehen, ging, gegangen, to go away, leave.

wĕg=legen, to lay aside.

wĕg=ſchieben, ſchob, geſchoben, to push aside.

wēh, aching, painful; -thun, to give pain.

Weih'nachten, *pl.*, Christmas; zu —, at Christmas.

Weih'nachtsabend, *m.*, -e, Christmas eve.

Weih'nachtsbaum, *m.*, ᵘe, Christmas tree.

Weih'nachtskuchen, *m.*, —, Christmas cake; *pl.*, ginger cookies.

Weih'nachtslied, *n.*, -er, Christmas carol.

Weih'nachtsſtube, *f.*, a room at Christmas; der Mutter —, his mother's room at Christmas.

weil, because, since.

Weilchen, *n.*, little while; kleines —, moment, minute.

Weile, *f.*, while, time.

Weinberg, *m.*, vineyard.

weinen, to weep, cry.

Weingarten, *m.*, ᵘ, vineyard.

Weinhügel, *m.,* —, vine-hill, vineyard.

Weise, *f.,* way, manner.

weiß, white.

weiß (*verb*), *see* wissen.

weit, wide, large, broad, spacious, extended; — davon, far away; –er, further, more, ahead, on; nichts –er, nothing else.

weiter-kommen, kam, gekommen, to advance, get on.

weiter-rücken, to advance, proceed.

weit'läufig, large, extensive.

welcher, welche, welches, who, which; who? which?

Welt, *f.,* world.

wenden, wandte, gewandt, to turn; sich —, to turn.

wenig; we'nige, little; a few.

wenn, if, when; whenever, as often as.   [who?

wer, who, whoever, he who;

werden (*pres. ind.,* werde, wirst, wird; werden, etc.), wurde (ward), geworden, *absolute verb:* to become, grow; *auxil. verb for the formation of fut. act. and the whole passive;* sie werden nicht gemacht, they are not made; er wurde gezwungen, he was forced; es wird still —, it will become (be) quiet; es war dunkel geworden, it had become dark; es wird nichts daraus —, it will come to nothing.

werfen, warf, geworfen, to throw, cast.

Werk, *n.,* –e, work.

Werner (*prop. name*), Werner.

Wert, *m.,* worth, value.

weshalb' (*emphat.* wes'halb), why, why?

West; Westen, *m.,* West.

wider (*accus.*), against.

Widerhall, *m.,* echo.

wie, as, like, as if, when; how?

wieder, again; back, in return; hin und —, here and there; now and then.

wieder-kommen, kam, gekommen, to come (call) again, come back; immer —, to come (call) again and again.

wie'derum, again.

Wiese, *f.,* meadow.

wild, wild.

willkom'men! welcome! W–, *n.,* welcome.

Wind, *m.,* –e, wind, breeze.

Winkel, *m.,* corner, nook.

winken, to beckon, motion.

Winter, *m.,* winter; winters, in (during) the winter.

Winterluft, *f.,* "e, winter air.

Wintersonne, *f.,* winter sun.

wir, we.

wirklich, real; in reality, indeed.

Wirrnis, *n.,* tangle.

Wirt, *m.,* host.

Wirtin, *f.,* –nen, hostess; landlady.

Wirt'schaftsgebäude, *n.,* farm-building.

wiffen (*pres. ind.*, weiß, weißt, weiß; wiffen, etc.), wußte, gewußt, to know; zu finden —, to know how (where) to find.

wō, where, where? –möglich, if possible.

Woche, *f.*, week.

woher' (*emphat.* wō'her), whence, from where.

wohl, well; very well; (*explet.*) no doubt, probably, then, I think, I guess; ja–, yes indeed. [tional.

wohl'bekannt, well-known, tradi-

wohl'gekleidet, well-dressed.

wohnen, to dwell, live.

Wohnhaus, *n.*, "er, dwelling house, mansion.

Wohnung, *f.*, residence, home.

wollen (*pres. ind.*, will, willst, will; wollen, etc.), wollte, gewollt, will, to be willing, wish, want; to be about, go to do, intend; sie hat's gewollt, she wished it so.

womit' (*emphat.* wō'mit), with (to, in) which.

Wort, *n.*, -e *or* "er, word, expression; promise.

wovon' (*emphat.*, wō'von), of (from, on) which.

wühlen, to rake, work; –b, busily gathering food. [lous.

wunderbar, wonderful, marvel-

„Wunderhorn," *n.*, enchanted horn; horn of plenty.

wunderlich, strange, odd.

Wüste, *f.*, desert.

3

zählen, to number, count.

Zahn, *m.*, "e, tooth.

zart, delicate, tender, gentle.

zärtlich, tender, dear.

zehn, ten; = zehn Uhr, ten o'clock.

zeichnen, to draw, sketch.

zeigen, to show.

zeigt . . . her, *see* her-zeigen.

Zeile, *f.*, line.

Zeit, *f.*, -en, time; noch eben — genug, just in time.

zerreißen, zerriß, zerrissen, to tear to pieces.

Ziegel, *m.*, tile.

ziehen, zog, gezogen, to draw, pull, string.

Ziel, *n.*, end, aim, destination.

zigeu'nerhaft, gypsy-like.

Zigeu'nermelodie, *f.*, gypsy-melody.

Zimmer, *n.*, room; auf das —, to his room; auf dem —, in his room.

Zither, *f.*, cithern.

Zith'ermädchen, *n.*, (female) cithern player.

zittern, to tremble.

zogen . . . an, *see* an-ziehen; zog . . . heraus, *see* heraus-ziehen; zog . . . hinaus, *see* hinaus-ziehen.

zögern, to hesitate.

zornig, wrathful, angry (with, auf).

zu (*dat.*), to, at, with, in connection with; towards, in the direction of; *adv.*, too; der Thür —, towards the door; — ... hinauf, up to ...; — ... hinaus, out of ...

Zucker, *m.*, sugar.

Zuck'erbuchstabe, *m.*, –n, –n, sugar letter.

zuerſt', first, at first.

zufrie'den, contented, happy.

Zug, *m.*, ″e, feature, trait, lineament; row, line.

zugleich', at the same time.

Zug'luft, *f.*, ″e, current of air.

zu-hören, to listen.

Zu'koſt, *f.*, any additional dish to bread or meat; side-dishes; preserves; condiment.

zuletzt', at last, finally.

zum = zu dem.

zu-machen, to close, shut.

zündete ... an, *see* an-zünden.

Zunge, *f.*, tongue.

zur = zu der.

zu'-reden, to talk to, urge.

zurück', back.

zurück'-bleiben, blieb, geblieben, to stay behind.

zurück'-blicken, to look back.

zurück'-geben, gab, gegeben, to give back, return.

zurück'-gehen, ging, gegangen, to go back, return.

zurück'-kehren, to return (home).

zurück'-kommen, kam, gekommen, to come back, return.

zurück'-laſſen, ließ, gelaſſen, to leave behind.

zurück'-legen, to lay (put) by; einen Weg —, to travel (pass) over a space *or* distance.

zurück'-rufen, rief, gerufen, to call back; to resound, echo: es rief zurück, the echo returned.

zurück'-ſchieben, ſchob, geſchoben, to shove (push) back.

zurück'-wenden, wandte, gewandt, to turn back.

zurück'-werfen, warf, geworfen, to throw back, toss up.

zu-rufen, rief, gerufen, to call (to, *dat.*).

zuſam'men, together.

zuſam'men-fahren, fuhr, gefahren, to shrink back, start with terror, wince.

zuſam'men-falten, to fold up.

zuſam'men-knüpfen, to knot, tie.

zuſam'men-kommen, kam, gekommen, to assemble, meet.

zuſam'men-quirlen, to whirl (rush) together.

zuſam'men-rollen, to roll up.

zuſam'men-ſitzen, ſaß, geſeſſen, to sit together *or* side by side, be assembled.

zuſam'men-wachſen, wuchs, gewachſen, to grow together; to form a leafy arch by growing together.

zu-ſchreiten, ſchritt, geſchritten, to step out.

zu-ſchwimmen, ſchwamm, geſchwommen, to swim (towards, *dat.*).

zuſtan'de, *see* Stand.

zuvor', before, previously.

zuvor'-kommen, kam, gekommen, to come before, get ahead of, steal a march upon (one, *dat.*); to anticipate, prevent (something, *dat.*).

zuwei'len, occasionally, at times.

zu=wenden, wandte, gewandt, to turn (towards, *dat.*).

zuwi'der, abhorrent; es war mir —, I had an aversion to it.

zwei, two.

zweifeln, to doubt.

Zweig, *m.*, twig, branch.

zwei'mal, two times, twice.

zweit, second, other.

zwingen, zwang, gezwungen, to force, compel.

zwiſchen (*dat.*, *accus.*), between, among; — . . . hindurch, through.

zwölf, twelve; twelve o'clock.

EXERCISES

1.

The man. Which man? This — that — man. Each
(every) man. The same[1] man. The man, who .. —
A man. My man. His man. No man. What kind
of a[2] man? An old man. — This man is old. How
old is he? He is seventy years old. — Which old man?
The old man, who comes[b] there.[a] — The shoes of the
old man who comes there, are covered-with-dust. —
Do you see those three old men? Yes, I see them.
The oldest of[3] them has dark eyes and snow-white hair.
He is well-dressed. He walks slowly. All three walk
slowly. All old men walk slowly.

1. Derſelbe. 2. was für ein? 3. von.

2.

The street. The long street. A long street. The
long streets. What kind of streets? Long streets. —
The town. Our town. The towns. Small towns. —
Is this not a long street? New towns have long streets.
In new towns the streets[b] are[a] long. — The streets of
our old town are not long. — An old well-dressed man
with dark eyes and snow-white hair walked slowly
down[c] the street[a] of his old town.[b] — The old woman.

111

A woman, who is old.   He speaks to[1] an old woman. —
Old women.   Women, who are old.

1. mit.

3.

The face.   A face.   What kind of a face?   The same
face.   The face, which . .   The face of an old woman.
— Where is the old woman?   She is in a room of that
house with the high gable. — Who is that old woman?
Is she not the housekeeper of the old well-dressed man?
— The old man's room is not very large. — One wall.
Two walls.   Three walls.   Four walls.   The four walls
of his moderately large room. — On three walls of his
room hang pictures, large pictures and small pictures;
portraits and landscapes. — The book.   A book.   One
book.   Two books.   Many larger and smaller books
are in his bookshelves; German books, the German
books, many German books; English and French
books; the English and French books. — The old man
seats himself in[1] his massive arm-chair. — One hand.
Two hands. — He folds his hands, after[2] he has[d]
seated[c] himself[a] in his arm-chair.[b]   After he had seated
himself in his arm-chair, he[b] folded[a] his hands.

1. in, accus.   2. prepos.: nach; conj.: nachdem.

4.

It becomes dark.   Now it[b] becomes[a] dark.   It is to[1]
become[b] darker.[a]   It has become[b] dark.[a]   Gradually
it[b] had[a] become[d] darker.[c]   When it had[c] become[b] dark.[a]

A moonbeam falls through the window upon[2] one of smaller pictures on[3] the wall. When at last a moon-beam fell[5] through the window.[a] — Whose[4] picture is that? Is it not the picture of a little girl? Yes, you are[5] right; that small picture in the plain black frame is the picture of a pretty[6] little girl with light[7] hair and blue[8] eyes.

1. future. 2. auf, accus. 3. an, dat. 4. weſſen? 5. recht ha-ben. 6. hübſch. 7. hell; blond. 8. blau.

5.

What is her name? Her name is Elizabeth. Is that not a beautiful name? What was his name? What is your name? What is my name? — How old is that little girl? She was five years old. How old was he? He was ten years old. Was he not twice as old as she? How old are you? Are you older than I? How many years are you older than I? — What did the little girl say to[1] him? — Yes, it was so; they had two holidays; to-day no school, and to-morrow no school. — The large house; a large house; many large houses. The large garden; our large garden; many large and beautiful gardens. The garden-gate; what kind of a garden-gate? A small garden-gate. The meadow; this beauti-ful green meadow. What kind of meadows? Green meadows. Through the house into the garden, and through the garden-gate on[2] the green meadow. — The two children had a house[b] there.[a] Where? On[3] the meadow was their house. On the green meadow they[b] had[a] a small house of[4] pieces of sod. They had a small house with a new bench. — Who has built[b][5] that small house[a]? Our little boy had built[d] that small house[a] with the help[b] of a little girl.[c] — With her help he[b] had[a] built[d] it.[c] It was built[b] with her help.[a] With her help it[b] has[a] been[d] built[c]. By[6] whom has it been[b] built[a]? It had been[c] built[b] by those two little children.[a] — At last the little boy[b] has[a] finished[d] the new bench.[c] When he had[c] finished[b] the new bench.[a] — "Come with me in[7] our new house," said he, when he had[c] finished[b] the bench.[a] — Then the two children went into their new house and seated themselves on[8] the new bench, which the little boy had[b] made.[a]

1. ʒu.   2. auf, accus.   3. auf, dat.   4. aus.   5. bauen; auf=füh= ren.   6. von.   7. in, accus.   8. auf, accus.

6.

"I know four beautiful new stories," said he to her. "The first fairy-tale begins[1]: 'There were once upon a time three old spinsters . .' and the second begins: 'There were once upon a time two little children . .'" "Does not the third story begin: 'There was once upon a time an old, old woman . .', and the fourth: 'There was once upon a time a poor old man, who was[c] a whole[2] night[a] in the lions' den[b] . .'? Oh, I know those old stories by heart." — How many lions did you say were in that den? One lion, two lions, three, four, five, six lions. Six big lions from India. The six big lions from India. — Are there many lions there? — There is no winter in India. It is much more beautiful in India than here with[3] us in Germany. — "Elizabeth, will you goᶜ with meᵃ to Indiaᵇ?" asked he. "Yes," sheᵇ replied,ᵃ "I will journeyᶜ with youᵃ through the great desert,ᵇ but my mother must go with us, and your mother, too, and my aunt, too, and the four little children of my aunt."

1. beginnen; an-fangen. 2. ganz. 3. bei.

7.

One year. Two years. Four years. Twelve years. — The first year. A second year. In the fourth year. In-the fourth year. In my tenth year. In his twelfth year. — When he wasᵇ twelve years old.ᵃ He wrote his first poem, when he was twelve years old. When he was twelve years old, heᵇ wroteᵃ his first poem. — It was the story about[1] a young eagle, an old gray crow[2] and a white dove. He himself[3] was the young eagle, the old school-teacher was the gray crow, and the little girl was the white dove. In the poem heᵇ comparedᵃ the school-teacher with an old, gray crow and the little girl with a white dove. — The young poet wrote this beautiful poem on the first three pages of a small, parchment-bound volume with many white leaves. — Do you like[4] poems, stories and fairy-tales? Oh, I think, all children like them.

1. von. 2. dat. 3. selbst. 4. gern .. haben.

8.

In my seventeenth year. When I was seventeen years old. In his nineteenth year, Reinhardᵇ had toᵃ

leave[d] the school of the little town,[c] where his mother
and Elizabeth lived.[1]   He left his native[2] town for his
broader education at[3] the university.[4] — The eyes of
the young girl were filled[b] with tears.[a] Then her eyes[b]
were[a] filled[d] with tears.[c] Her eyes were filled with
tears, when she heard[b] that.[a] When she heard that, her
eyes[b] were[a] filled[d] with tears.[c] With tears her eyes[b]
were[a] filled,[c] when she heard that. — "Will you write
down[b] poems and fairy-tales for me,[a] when[5] you will be[b]
at the university[a]?" — "Yes, I will do[b] that[a] and I will
send[c] them[a] with the letters to[6] my mother.[b]" — This
pleases[7] me. Does this please you? This pleased her.
It pleased the young girl very[8] much. Would it not[b]
please[c] you[a]? — The first of[9] January. On-the[10] first
of May. On-the 10th of July. On-the 19th of September. — Reinhard had to leave[c] the old town[a] the[11]
20th of June.[b] — When[12] he went away. When[13] does
he go away? When did he go away? When[14] a dear
friend goes[b] away.[a] — Before[15] he went away, they[b]
celebrated[a] a festal day in the adjacent woods. The[16]
19th of June (On June 19th) they[b] had[a] an excursion in
the country. When did that excursion[b] take[a] place[c]?[17]
— Soon after-it[18] Elizabeth wrote a letter to her aunt.
In the letter, which Elizabeth on June 24th wrote to her
aunt in Stuttgart, she[b] said[a] about[19] the picnic:

1. leben; wohnen.   2. Vaterstadt, f.; Geburtsstadt, f.; Heimat, f.;
3. auf, dat. 4. Universität, f. 5. wenn. 6. an, accus. 7. freuen.
8. omit. 9. omit. 10. an. 11. adverbial accus. 12. als. 13.
wann? 14. wenn. 15. ehe. 16. adverbial accus. 17. statt-finden.
18. darauf. 19. über, accus.

9.

(Elizabeth's Letter to her Aunt.)

Heilbronn, June 24th, 18 . .

Dear aunt Mary!

I must tell you[1] what a[2] festal day we had[c] here[b] last week.[a] On that day we celebrated Reinhard Werner's departure for[3] the university of[4] Tübingen. For that purpose his mother, and my mother, and Herr Steinbach, our old school-teacher, had arranged a picnic in the woods. It was quite a large[5] company, old[6] and young people, men and women, boys and girls. The way to the edge of the woods was made by wagon. Then we marched on with our provision-baskets, first through dusky pine-groves and then through fresh and green beech-woods. On a broad clearing[7] the company stopped. Frau Werner opened the smallest of our three baskets, and Herr Steinbach, who was the provision-master, gave each[8] of us two dry rolls for breakfast, and when he saw what[9] faces we made, he said to us: "My dear boys and girls! I know very well, that two rolls without butter is not much for breakfast. But look here! Strawberries are a fine relish with[10] dry rolls, and there are enough of them round about us[11] in the woods. Now go, be smart, and find them! Come back at 12 o'clock with strawberries for our dessert, and then we old[12] folks will spread the cloth and give you boiled eggs and potatoes. And now set out on your journey," he said with a roguish face, "*in pairs*, that means, two boys, two girls, two boys, two girls." The whole company laughed, while[13] we young people went into the woods. "Come with me, Elizabeth!" said Reinhard, "I know a strawberry-patch in the woods, where we will find berries in great abundance."

Oh, how beautiful it was in the green woods under the deep-blue sky and the old, wide-spreading trees! And how quiet! Two hours we strolled[14] through the woods, always looking for strawberries, but we found none. When at 12 o'clock we heard the bells in (the) town ringing, we gave up the search for strawberries and started on our way back. Half[b] an[a] hour[c] later we heard the laughter of our company, and then we saw a white table-cloth gleaming through the trees and on-it were strawberries in great abundance. All the other boys and girls had already returned, every one of them with his hat full of[15] strawberries. "Halloo,[16] you stragglers, show what you have found," said Herr Steinbach, who with a white napkin in his button-hole, was busily carving at a roast. "We found only hunger and thirst," replied Reinhard. Then we seated ourselves in the short grass which covered the ground, and dined, while a thrush furnished the music at table. Thus the day passed, and it was between 8 and 9 o'clock in-the-evening,[17] when he returned home. Why could you not be with us?

Lovingly[18] your niece

ELIZABETH FREIDANK.

1. dat. of Du. 2. was für einen. 3. nach. 4. omit. 5. comparative. 6. adjectives as nouns. 7. der freie Platz; die Lichtung. 8. dat. mas. 9. was für. 10. zu. 11. rings um (accus.) . . . herum. 12. adj. noun. 13. während, conj. 14. streifen, v. reg. 15. omit. 16. hollah! 17. adverbial genit. 18. Deine Dich liebende Nichte.

10.

"My Life's Spring."[1]

(From Reinhard's Diary.[2])

On-the 17th of October 18 . . I was[3] born at Heilbronn, a[4] small town of Württemberg, in South Germany.   My father, a school-teacher, died[5] when I was
eight years old.   From my fifth to[6] my twelfth year
I attended[7] Herrn Steinbach's school, and then the
"gymnasium"[8] of our town, where the old languages,
history,[9] botany, and German literature[10] were my
favorite[11] studies.   During[12] my school-years I formed
friendship with many boys of my age; one of[13] them
was Eric Volkmar, whose father, a rich man, owned[14]
the two estates of[15] "Lindenau" and "Immensee."   But
nearly all my leisure hours I[b] shared[a] with a pretty
little girl with light hair and blue eyes.   Her name was
Elizabeth Freidank, and she was five years younger
than I.   In my twelfth year I began to write poems,
stories and fairy-tales for Elizabeth, who was not only
my protégée, but also the embodiment of all that was
lovable and marvelous in my early life. — When in my
nineteenth year I had graduated[16] from the "gymnasium," I went for my higher education to the university
of Tübingen, where in the first six months I led[17] the
merry[18] life of a young German student.   A letter from
Elizabeth, which arrived on Christmas eve, made[19] me
another and better man.

When Easter had come, I went home to Heilbronn.
Elizabeth met me with a smile, but had no word for me,
and her hand, which I had taken in mine, she tried
gently to remove.   Then I knew that something strange

had come between us. What was it? It was my old
friend, Eric Volkmar, who during the winter had occasionally called on Elizabeth and her mother, and who
had drawn Elizabeth's picture in black crayon; it was
Eric Volkmar, my old friend, who had taken charge of
his father's estate of "Immensee," and who on the day
of my arrival had sent a canary-bird in a gilt cage for
Elizabeth. "Yes," said Frau Freidank, "Herr Eric
Volkmar is a most charming and sensible young man." —

I remained at home[b] ten days.[a] On-the morning of
my departure, Elizabeth accompanied me to the stage-
coach. Down[e] the street[d] we[e] walked,[b] arm in arm[a] but
without a word. Finally I asked her: "Elizabeth,"
said I, "do you still love me, and will you always love
me?" She nodded. "Good bye, then!" said I, "Good
bye! In two years I will return and then I will tell you
what is now a secret to you." — When about two years
later one evening[20] I sat before my lamp among books
and manuscripts, the landlady came upstairs and gave
me a letter. It was my mother's handwriting.

. . . "Within the last three months," said the letter,
"have many things changed here with us. After Eric
Volkmar had proposed twice in vain, Elizabeth has finally accepted him. Their wedding will soon take place,
although[21] she is only[22] 18 years old. Frau Freidank will
then go away with her daughter to 'Immensee' . . ."

1. = The Spring (Frühjahr, n., Frühling, m.) of my Life. 2.
Tagebuch, n. 3. wurde (idiom. bin) geboren. 4. dat. 5. sterben (a,
o). 6. bis zu. 7. besuchen. 8. Gymnasium, n. 9. Geschichte, f.
10. Litteratur', f. 11. Lieblingsstudium, n. 12. während, genit. 13.
einer von. 14. besitzen, besaß, besessen. 15. omit. 16. das Gymnasium absolvieren. 17. führen, v. reg. 18. lustig; fidél'. 19. machte
mich zu . . 20. adverbial genitive. 21. obgleich. 22. erst.